ALDEIA DO SILÊNCIO

Frei Betto

ALDEIA DO SILÊNCIO

Copyright © 2013 *by* Frei Betto

Direitos para a língua portuguesa reservados
com exclusividade para o Brasil à
EDITORA ROCCO LTDA.
Av. Presidente Wilson, 231 – 8º andar
20030-021 – Rio de Janeiro – RJ
Tel.: (21) 3525-2000 – Fax: (21) 3525-2001
rocco@rocco.com.br / www.rocco.com.br

Printed in Brazil/Impresso no Brasil

Preparação de originais:
Maria Helena Guimarães Pereira

Diagramação: Fatima Agra

CIP-Brasil. Catalogação na fonte.
Sindicato Nacional dos Editores de Livros, RJ.

B466a	Betto, Frei, 1944
	Aldeia do silêncio / Frei Betto. – Rio de Janeiro: Rocco, 2013.
	ISBN 978-85-325-2832-2
	1. Romance brasileiro. I. Título.
13-0370	CDD-869.93
	CDU-869.134.3(81)-3

Para Marco Lucchesi

SUMÁRIO

Prólogo 11

I Aldeia 13

II Povoado 69

III Visita 81

IV Palavra 101

V Cidade 173

Há tempo de falar e tempo de calar.
— ECLESIASTES

O que não se pode falar, deve-se calar.
— WITTGENSTEIN

PRÓLOGO

O autor dessa narrativa autobiográfica faleceu no hospital dezessete anos após ter sido ali internado. No primeiro ano de internação, uma voluntária o ensinou a ler e a escrever. Passou a ocupar todo o tempo com leituras.

Fez-se intenso trabalho terapêutico para convencê-lo a fornecer alguma informação sobre a sua identidade, família, origem e história. Debalde. Uma vez alfabetizado, trancou-se em mutismo intransponível.

Ao nos deixar, encontrou-se, entre seus poucos pertences, um caderno com o relato de como vivera antes de ingressar no hospital. Continha também suas impressões sobre a cidade e a respeito de seu período de internação.

Nunca se soube o seu nome. Dizia não tê-lo. No hospital era conhecido apenas como Nemo – que significa, em latim, ninguém.

I
ALDEIA

Vivíamos em um lugar muito longe, cuja geografia se desenhava indevassável em nosso próprio espírito. Ali o tempo cessara sua evolução e, desmemoriado, nos esquecera confinados em restrito espaço. Talvez fosse a aldeia o seu lugar de preguiça.

O mundo passava ao largo. Nos períodos invernais, para qualquer direção que se olhasse, via-se desolação. A realidade se revirava às avessas. Tristeza de céu nublado, aridez sórdida de desertos perdidos, morbidez de manhãs solitárias resfriadas pela noite. Com frequência, a neblina recobria a aldeia – imenso véu de noiva a exalar umidade e nos impedir de enxergar a distância de um braço.

Era muito longe tudo aquilo, muito longe; limbo d'alma, buraco oco do abismo escondido na curva da insensatez, viscosidade multissecular de um abandono que insiste em não se apagar da memória. Inverossímil arquipélago de inrecorrências.

Aquela desolação por vezes me esgarçava o espírito. O alento sobrevinha do que os olhos alcançavam prenhes de gula. Atrás da mata cerrada, despontava a montanha recoberta de assombro, sobrevoada por legião de morcegos. Havia o céu infindo e o chão fundo como um oceano ressecado.

Tínhamos como fantasmas a própria sombra.

Avô, mãe e eu, e os bichos – nossas vidas se precipitavam naquela garganta insaciável atraídas por irresistível gravidade. O que éramos não era como tudo é. Repercutia em nós a polifonia de um cosmo feito do dessentido desta voracidade de apossar-se e repletar-se do que é fora do humano e, no entanto, a ele agrega valor.

Tudo padecia de atroz solidão. Entre momentos de intensa alegria, exorbitava-se de tanta melancolia. Não a que se derrama nos vácuos interiores e tinge a alma de tristeza. Experimentava-se algo mais profundo e enigmático. O furor de um silêncio travado na garganta do tempo, a força centrípeta do orbe terrestre, a lenta agonia de um universo contraído à própria insignificância.

Quando se vive assim no ermo, exilado do mundo, isolado do burburinho urbano, longe da compressão humana, abre-se no coração um buraco. Sobrevém a sensação de imponderabilidade. É como voar sem ter asas. Então se descobre que somos iguais a bonecas russas encaixadas uma dentro da outra e, aos poucos, se retira uma por uma até chegar ao âmago do ego, pedra angular na qual se alicerça o nosso ser. O ego é um ovo e o ovo contém uma ave que não sou eu. Este o mais radical dilema: tentar colocar o ovo de pé? Ou quebrá-lo e deixar que a ave aflore?

É preciso viver mergulhado no silêncio para encontrar a resposta. Ali o silêncio adensava sentimentos, descomprimia emoções, subtraía da mente inquietações, como a brisa lentamente remodelava a encosta da montanha. As mãos do tempo, em cuidadosa escultura, lapidavam nosso ser, assim como imperceptíveis gotas de água pingam do teto da caverna, amolecem a pedra e configuram as estalactites.

A aldeia não era propriamente um lugar; era uma ferida aberta no dorso da Terra.

Vivia eu em companhia da mãe, do avô, do urubu e da cadela. Naquele estertor de mundo, o vento amainava, silenciava, descansava e se desfazia. Vasto espaço do nada. Ocaso de toda esperança, onde o olhar retrocedia e os pensamentos se moviam em espiral, fixos no mesmo lugar.

Vou contar.

Criança, eu me plantava na porta do casebre – pau a pique recheado de barro e achapelado de palha – e punha vistas nas lonjuras a me afugentarem os olhos. Se a época era de fúria dos ventos, tudo se resumia em aflitiva devastação. Árvores se abraçavam desgarradas do chão, a poeira rodopiava bêbada, nosso casebre estremecia ameaçando desabar. A natureza rugia para além dos limites observáveis. Densa névoa engolia a montanha. Avistava-se apenas um breve rascunho daquele mato intrincado que nos amuralhava. Mas se o sol primaveril irrompia e nos aquecia, a aldeia se pontilhava de flores e eu vislumbrava um acolhedor jardim, como se aquele pedaço de selva revelasse a harmonia da era primordial em que a luz se fez mundo.

A reclusão reforçava em nós um sentimento de proteção. A vegetação espessa agasalhava o isolamento. O olhar não merecia distâncias, exceto ao se perder na lonjura do céu despido de nuvens. Avistava-se, sem tombar a cabeça, apenas o dorso imponente da montanha, cujas entranhas tragavam o sol no fim de tarde e cuspiam, ao anoitecer, a legião de morcegos. Do outro lado se distinguia o tênue risco da trilha rumo ao que restara do povoado; no lado oposto, a mata impunha fronteira à nossa roça de milho e feijão.

Para além da mata, onde a vista não alcançava e a imaginação tentava acompanhar os voos de Ubelino, talvez houvesse o que o avô contava ao catar retalhos da memória: lavouras, pastos, coisas de bem viver que ele dizia se chamar progresso. Do lado de cá tudo exalava estranheza. Se tempo havia, carecia de natureza cronológica. Ninguém conhecia os nomes dos dias e dos meses, nem o número dos anos ou quando tinham início e fim. Os dias se alternavam recortados pelas noites. Não havia variação de semanas, meses e anos, apenas de clima – dias mais quentes, outros amenos ou frios, secos ou chuvosos, ensolarados ou sombrios. A linha do tempo, desprovida de pontas, encolhera-se, reduzida a um simples ponto. Havia o clarear, o mormaço matinal, o olho gordo do sol a nos impor feérica cegueira, o vapor inclemente da tarde e o brusco resfriar da noite. As chuvas entremeavam.

Prescindíamos de relógio e calendário; ali o tempo desconhecia marcadores de ciclos e velocidade. Apenas deixava marcas nas rugas a nos moldar as feições e, no avô e na mãe, lacunas nos escaninhos da memória. Eu carecia de lembranças. Ao contrário do avô e da mãe, minha vida não tinha passado antes daquele presente em que vivia confinado. Minha memória copiava a do avô e a da mãe. Guardava recordações apenas do que me contavam.

(Agora, aqui no hospital, carrego minha própria memória. O tempo se faz presente não apenas em rugas e padecimentos do corpo, mas também no passado vivido na aldeia e nas atribulações enfrentadas na cidade.)

O avô outrora conhecera o ano que mudava a cada doze meses e os meses que se sucediam após quatro ou cinco semanas e as semanas que enfeixavam sete dias. No meu viver ali, nada daquilo tinha importância. O tempo se descalendarizara. Cronos se evadira. Tudo se resumia ao cíclico humor da natureza: estiagem, chuva, calor forte, frio intenso. E aos períodos do colorido das flores entremeadas no verde do mato e das frutas suculentas pontuando de amarelo-rosa a copa verdejante da mangueira.

Vivia-se um tempo insólito, como a girar permanentemente dentro do espaço no qual se enclausurara. Não passava, não avançava, tão somente circulava, como se fôssemos o eixo em torno do qual ele irremediavelmente gravitasse. Apenas a teimosia o impelia a vencer a inércia.

Aprendi aqui, em minhas leituras, que o tempo cria espaço desde que, grávida do Universo, a primeira partícula subatômica, abortada do não ser, explodiu. O deslocamento sideral de seus múltiplos fragmentos deu origem às estrelas e às galáxias. O impulso à velocidade dos astros criou o tempo, dilatado em espaço. Contudo, na aldeia o espaço delimitava o tempo. Ali ele boiava quase imóvel, embutido em uma garrafa de náufragos, observado por cinco seres ilhados no mundo.

"Hoje o tempo corre agasalhado no peito", comentou o avô ao limpar o cachimbo com a ponta do canivete.

"Antigamente", acrescentou com voz rascante, "quando o tempo também corria fora da gente, ele se mostrava matreiro: se era coisa boa, voava; se ruim, se demorava, relutava, escorria devagar como cozimento de feijão. O tempo não gosta que lhe ponham olhos de atenção. Quando acontece, fica lerdo, desgarrado da pressa." O avô dizia isso de cabeça baixa, como se as palavras escapassem sorrateiramente de seus lábios, traindo-lhe o silêncio.

A mãe amarrou o lenço na cabeça e disse não se lembrar do tempo em que o tempo tinha importância fora da gente. Apenas lamuriou: "Tenho saudades doídas, saudades de nem sei o quê, como se faltasse alguma precisão no meu sentir. Há um antes que não é o agora, mas que eu gostaria que já fosse depois."

O avô disse mais. Comentou que, por ele, o ano não mudava de número. Se a vida é uma só, que se espicha por agrados e desagrados, sempre a surpresar, por que enumerar o tempo como se ele envelhecesse? Deveria ser sempre o mesmo, desnumerado, como ali na aldeia. Coisa boa havia sido desaparecer dali dias, semanas, meses e anos. Restou o esticar interminável de um mesmo dia a se transmutar em escuridão e claridade, claridade e escuridão. Só a temperatura variava e, com ela, o jeito de a natureza se descerrar aos nossos olhos, revelar suas intimidades ou cobrir-se com o véu de neblina, esconder-se atrás da chuva ou desaparecer na escuridão noturna, transmutar seu jogo de luzes e esculpir lentamente a decrepitude de nossos corpos.

O avô dizia que entre nós – ele, a mãe, eu – e a natureza, não havia quase diferença. Apenas a que existe entre a mangueira e o pé de feijão ou entre Ubelino e Basilea. Tudo é natureza. Tudo nasce de semente, cresce e depois morre para, de novo, ressementear-se.

No verão, a natureza ardia em febre, acabrunhava-se em silêncio raramente arranhado pelo farfalhar das folhas, o assobio do vento, os trovões que trincavam a abóbada celeste após vomitarem relâmpagos. Quando as águas escasseavam, o dia abrasava-se calcinado pelo sol; a noite abafada sudorificava a pele, desconfortava o corpo e fazia calar o coração.

No tempo da estiagem toda a aldeia ganhava cor amarelo fosco, cor desnaturada, desfalecida, como se tudo ali ficasse paralisado: vento, folhas, pássaros, o ar que se respirava. O calor oprimia, a pele empelotava-se; os poros, entupidos, estouravam em furúnculos, a garganta queimava de sede, os cabelos tornavam-se quebradiços.

No verão, a chuva vinha mansa nos primeiros dias. Aos poucos, as nuvens se adensavam severas. Súbito, o céu entornava-se de vez. Chovia dias e dias; nuvens carregadas se derretiam copiosas. Relâmpagos rasgavam o horizonte em cicatrizes. O crepitar dos trovões chicoteava a natureza. Castigado, o mundo estremecia.

Davam medo as tempestades. A água descia incólume. Todo o solo se encharcava, e as trilhas enlameadas ficavam escorregadias. Não era o volume de água que me amedrontava. Eram os raios, o estrondo a suceder os relâmpagos, o clarão a iluminar pesadas nuvens negras. O dilúvio desabava inclemente, a enxurrada se engrossava nas encostas, monturos de terra cediam onde a vegetação rareava. Os trovões, em cadeia incessante a reboar pela atmosfera sombria, assustavam Basilea que, encolhida de pavor, orelhas caídas, rabo entre as pernas, se escondia em algum canto do casebre. Ubelino se abrigava ensopado sob a mangueira, arrastando as asas pesadas de água, entretido na procura do que comer pelo chão.

Em torno do fogão de lenha, o avô, a mãe e eu guardávamos um silêncio compulsório, como se o ribombar da natureza enfurecida nos obrigasse a calar para suportarmos, de coração apertado, os esgares do dilúvio que se abatia sobre a aldeia. Olhávamos acabrunhados pela janela, observando a água espessa desabar. A cortina líquida deixava entrever um fundo de brancura indefinida que, atingido pelo riscar inesperado de um raio, parecia estremecer ao som dos tambores de deuses enfurecidos.

O avô se encolhia de cócoras à frente da janela. Cachimbo à boca, tinha olhos perdidos na renda de fios prateados a descer do céu. A mãe não se importava, exceto com a umidade da lenha. Se acendia um punhado, tratava de espalhar outro feixe sobre o fogão, de modo a secar provisões.

Atemorizavam-me aqueles trovões indomáveis, raios a abaterem galhos e troncos, clarões a escancarar as vísceras do céu. Deixavam entrever o vazio prateado das alturas, garganta profunda a expelir cascatas.

Por que nos calávamos ao regurgitar da natureza? Por que o silêncio tácito sob o céu a desabar? Por que o coração, apertado, se encolhia diminuto? Por que a nossa conversa ali na cozinha se resumia a breves sussurros, como se a borrasca, com seus gritos trovejantes, nos impedisse de falar?

Às vezes íamos dormir sob o estertor da natureza. A tromba-d'água afogava o mundo, e os relâmpagos riscavam o céu de brilhos medonhos. Ao amanhecer, nos deparávamos, surpresos, com um alvorecer luminoso – o céu azulado, a calma paradisíaca, como se a tempestade da noite anterior não tivesse passado de pesadelo.

Beijada pelo sol da manhã, a vegetação, agradecida, se averdejava toda.

Pairava na aldeia um grande vazio. Vazio refletido em nossas mentes e em nossos corações. O oco dentro do oco dentro do oco dentro do oco, sem nenhum eco. Mesmo onde havia coisas, o vazio perdurava. Vazio que perpassava inclusive o nosso entorno, como se toda a natureza fosse inconsistente. Só o olhar o anulava, sobretudo o olhar atento às minudências. Olhar curioso por decifrar o interior das coisas, multiplicar perfis, descobrir, a cada mirada, pequenos detalhes – a curva da trilha, o galho da mangueira, o dorso sinuoso da pedra – a se transmutarem múltiplas vezes. Nada se via duas vezes do mesmo modo. O balé das chamas erguidas da lenha a aquecer a caçarola com feijão; a pata de Basilea estendida amigável; a manga caída no chão e devorada por formigas excitadas... Tudo aflorava em novos e surpreendentes movimentos a cada vez que eu dirigia o olhar nesta ou naquela direção. O mesmo objeto se transfigurava por algum motivo cenográfico: a incidência da luz, às vezes mais clara, outras mais escura; a alteração dos resíduos em volta; a ambientação térmica; a posição em que o observador se colocava em relação ao observado.

Ali naquele ermo excluído de todas as rotas, apagado de todos os mapas, mesmo da mais alucinada imaginação, a vida latejava no acaso daquele trio de gente e duo de bichos que me atrevo nomear família. Todos extraviados na paisagem bucólica. Como se houvéssemos, em um tempo indefinido, intangível, brotado do chão, condenados a nascer fora do orbe terrestre, habitantes ignotos de uma estrela apagada, imóvel, olvidada em um canto esquecido da galáxia.

O acaso nos cuspira naquele oco a que denomino aldeia.

Restam ainda em minha lembrança duas outras pessoas que, durante longo período, não sabíamos se viventes ou falecidos: o pai e o irmão. Haviam se afundado na linha do horizonte, engolidos pelo destino, levados pelo desvario.

Se o avô um dia teve nome, eu nunca soube. Eu o chamava de "avô". Ele me tratava de "filho", embora eu fosse neto. E, à mãe, de "filha", que o chamava de "pai".

Nenhum de nós tinha nome. Nome é máscara que encobre a pessoa. Exerce a magia da distinção, denota aparente singularidade, como se um mesmo produto contivesse, em cada unidade, um rótulo diferente. Somos todos feitos de barro e sopro. E todos, sem exceção, temos defeito de fabricação e prazo de validade.

Constato aqui no hospital: por mais que uma pessoa cause impressão pela ressonância nobiliárquica do sobrenome, pela altivez do porte ou importância da função, ela é como todas as outras. E sabe disso, embora tudo faça para que as demais a julguem diferente. O que se modifica é o olhar dos outros em relação a ela, olhar que procura direcionar de modo que enxerguem ouro onde há apenas cascalho. Olhar equivocado, impróprio, incapaz de perceber que, por detrás de tanta empáfia, há um ser que a cada dia se aproxima um pouco mais da inexorabilidade da morte. Um ser intimamente frágil, por vezes empenhado no supremo esforço de sobressair-se pelo que não é. Sem a percepção de que, em se tratando de humano, não há vida autônoma. Há invariável dependência, essa imensa teia que se estende das relações familiares às sociais para suprir nossa incorrigível neotenia.

Para que serviriam nomes próprios naqueles cafundós? Habitavam ali apenas três pessoas ligadas por laços de sangue e sobrevivência. Só a cadela e o urubu tinham nomes. Porque não eram singulares como nós e, portanto, mereciam distinção.

Certa ocasião em que, na boca de uma noite fria, nos aquecíamos com sopa de mandioca, perguntei à mãe por que eu não tinha nome. Ela parou a colher de pau no ar. Fitou-me com olhos bem abertos, duas jabuticabas a boiarem no leite. O avô se adiantou na resposta. Disse que nome é coisa de registro em papel e batizado na igreja. "O que é igreja?", intriguei-me. "É uma casa grande que também chamam de capela, como a que existia aqui, ali onde encontramos o santo queimado, uma casa toda enfeitada de velas, imagens e flores. Muitos pensam que Deus mora nela", retrucou o avô.

Ali na aldeia não havia necessidade de documentos e, portanto, não carecia nome. E a capela findara em cinzas.

"Pra que nome se, ao morrer, o nome perdura e a pessoa não?", murmurou o avô. "O que é mais importante: o nome ou a pessoa que porta o nome?" A mãe comentou: "Um mesmo nome pode ser dado a várias pessoas. A uma pessoa não se pode dar vários nomes."

De que vale conservar a etiqueta se já não existe o que ela denomina?

O avô resmungou ainda que nome é coisa de gente que é alguém. Nós não éramos ninguém. Ainda que tivéssemos nomes, não teriam serventia.

Reagi: "Somos, sim, alguém. Nós três, um para o outro, mais o Ubelino e a Basilea." "Bicho não é alguém", objetou o avô. Insisti que para mim sim, bicho tem sentimento e inteligência. O avô deu o braço a torcer. E observou que entre nós bastava o bem-querer. Nome não carecia. "Gente eu conheço mais pelo olhar que pelo nome", concluiu ele.

A mãe, colada ao fogão aquentando água para o chá, murmurou em voz suave: "Gente pensa." O avô sorriu um sorriso de ironia, descerrando os lábios grossos e fortes: "Quem disse que Ubelino não pensa? Ele não decide que agora é hora de voar ou pousar? Não se acabisbaixa encolhido quando a chuva enraivece e engrossa? E a mangueira, não ri de nós refugiada nos pensamentos dela e com a face recoberta de folhas? Desconfio, filha, de que até a pedra tem seu jeito de pensar. Ela é assim coisa bruta apenas aos nossos olhos. Nosso entendimento é curto, não alcança a vida que pulsa na pedra. Muitas vezes prego os olhos em você, filha, e não sei em que pensa sua cabeça. Nem o que se passa em seu coração. Às vezes nem mesmo sei direito quem sou. Há dentro de mim muita gente e, no entanto, chego a pensar que sou um só."

Ubelino não se demorava em voos. Preferia-os curtos, por ali mesmo. Voos vigilantes por cima da aldeia, suficientes para distender as asas e catar o que lhe aplacasse a fome. Descansava emproado sobre a cumeeira de palha que recobria o casebre. Dali, atento, sentinelava. Se avistava no solo um apetitoso inseto, ou mesmo um pequeno réptil, precipitava-se voraz, planando com suas amplas asas abertas. Insinuava-se entre as dobras invisíveis do espaço, pousava altivo, e seus olhos laterais, perscrutadores, vasculhavam agitados as proximidades. No tempo das chuvas amuava-se escondido entre a folhagem da mangueira.

Ubelino ostentava olhos de fogo e um bico recurvo como adaga oriental. Emproava-se em seu porte majestoso de ave de rapina. Nas manhãs ensolaradas, afundava-se no azul da abóbada celestial dando voltas no eixo da Terra.

Ali, só ele avultava. Só ele tinha ciência do além. Só ele transcendia a ermida em que o destino nos encerrara.

Basilea trazia em si uma tristeza indefinida. Tinha a boca ressecada e o latido curto, seco. Ao se encontrar dentro do casebre, encolhia-se junto ao fogão de lenha e mantinha os olhos fechados sem que pudéssemos adivinhar se dormia ou apenas recolhia-se ao seu pensar. Ou ao seu pesar. Do lado de fora de nosso teto, acompanhava-nos os passos, sempre atenta à retaguarda, ou deitava-se ao pé da mangueira e abanava o rabo para espantar o incômodo causado pelas moscas.

Tinha o pelo ralo, as pernas curtas, o focinho estirado. Nela se refletia nosso estado de espírito. Latia insistente ao ficarmos apreensivos, dava saltos se havia júbilo, exibia os olhos umedecidos se a tristeza nos abatia.

O avô exibia uma cara intemporal. Desde que eu era pequeno ele era grande. Alto, esquálido, trazia a pele enrugada, o semblante grave, os cabelos encanecidos cheios e alvos. Sua boca não era de multiplicar palavras. Sobressaía-se pela eloquência dos gestos comedidamente densos, pausados, que às vezes pareciam emergir de contidos arrebatamentos. Ao se fechar em seus calados, dava a impressão de que, dentro dele, havia imensa vereda repleta de obstáculos, superados à medida que avançava rumo a seus mistérios.

Carregava uma alma esquartejada. Pouco falava das antecedências da vida, das trilhas percorridas, de sabores e dissabores – cacos de um vitral estilhaçado. Dizia que homem é dono de si quando se guarda no silêncio.

Minha mãe era toda feita de luz. Dela emanava um brilho capaz de dissipar trevas e abrir transparência na brancura. Ela fulgurava em passos miúdos. Ao sorrir, alvorecia. Nela pairava uma áurea de anjo, como se nenhuma sombra a pudesse ameaçar.

O avô não me causava estranheza. Era, todo ele, um monólito. Não havia fissuras em seu caráter, e sua força de vontade sobrepujava ameaças de fragilidade. Meu mestre e guia no árido reino do silêncio, ensinava não com o dizer, e sim com o proceder. Tinha atitudes lentas, ponderadas, porém decididas. Nele parecia não haver espaço para a dúvida, embora transparecesse em seu olhar certa desconfiança frente ao que soava como certeza à mãe e a mim.

Nele fluía uma sabedoria inata, de quem responde a si próprio todas as interrogações. Ficar ao lado dele ali na pedra diante do nosso casebre, sentir-lhe a emanação do olhar, o calor de seu corpo e a altivez de sua postura era experimentar misteriosa empatia.

Costumávamos ficar os dois ali sentados, tão calados quanto a pedra. A mãe permanecia nos adentros do casebre, cuidava da comida, catava bichos no pelo de Basilea ou saía para colher no mato o que comer. O avô e eu permanecíamos nos aforas a adivinhar a gramática do silêncio e sentir a imobilidade da Terra. Mexiam-se apenas luzes e sombras. O sol projetava-se no solo árido e desnudava a penúria daquele grotão.

Depois, a sombra da tarde prenunciava a aproximação da noite. O sol se estirava preguiçoso, sonolento, para os lados do poente; deitava-se atrás da montanha, em cujo dorso os últimos raios declinavam. O lado de cá se cobria de breu. Esperávamos o sono para saber a hora de dormir. O avô baforava mais uma vez o cachimbo, batia as cinzas na ponta da pedra e se recolhia ao catre após comer algo e lavar o rosto e a barba na bica de água junto ao milharal.

Entre nós, a comunicação dispensava palavras. A voz, em nosso caso, viria quebrar o encanto. Porque o entredito pelos gestos, o não dito estabelecido pela cumplicidade e o sugerido funcionavam como a parceria de dois músicos, um capaz de completar os acordes do outro sem necessidade de ensaio ou pauta musical.

O avô falava com voz sofrida, como se catasse da lembrança cada letra, cada sílaba, para forjar a palavra. Antes de pronunciá-la, a esculpia. Trazia o olhar ensimesmado; o pronunciado por ele era apenas uma parcela ínfima do que o seu silêncio ocultava. Nem sei se muitas palavras chegavam a se formar dentro dele para, em seguida, fazer sentido na mente e formigar na língua ansiosa por expressão. Quem sabe houvesse apenas letras e sílabas desconexas. Um torvelinho de sentimentos confusos. Talvez sua razão derrapasse com facilidade nas bordas da emoção, naufragasse nas águas profundas do indizível. Porque o avô falava uma coisa e me olhava, falava outra e me fitava, como a conferir em mim a ressonância do que dizia. Dava a conhecer seus sentimentos sem precisar enunciá-los. Falava como se palavras fossem sementes raras que não devem ser desperdiçadas. E, por isso, precisam ser plantadas com esmero, cova por cova, para uma boa colheita na seara alheia.

O avô guardava, habitualmente, um silêncio altissonante. Não um silêncio mudo, ignoto, vazio. Era um silêncio denso, de quem conserva no coração e na memória a lembrança do mundo, os segredos da vida. Silêncio altivo, soberano, de uma serenidade assombrosa.

Ele era uma biblioteca viva, repleta de obras invisíveis. Cada uma de suas palavras, pronunciada com sabedoria e parcimônia, valia um livro, e me suscitava reflexão, acionava em mim a curiosidade de apreender a vida aquém de seu mistério.

Pressentia-se na aldeia uma vibração anímica. Ali a gramática da existência carecia de sintaxe mas a razão nutria-se de afetos – este o segredo de não extravasar em loucura.

A vida, encostada em seus limites, tornava-se meridianamente substantiva. Só o jogo fútil de emoções incontroladas suscita, como da cartola de um mágico, adjetivações ofensivas ou bajulatórias provocadas por ódio, inveja, ira, ou pela reverência exagerada de quem mendiga apreço a quem lhe parece superior por ostentar brilhos de fugacidade.

Isso não havia entre nós. Por laços de parentesco e afinidade, encerrados naqueles confins, estávamos condenados à felicidade, malgrado a desolação circundante.

Entre o tronco e o galho da mangueira oscilava suspensa uma teia de aranha. Perfeita a geometria daquela renda tecida em fios de seda. Na criatividade da fiandeira invisível havia uma transparência, uma delicadeza e uma precisão admiráveis. Com certeza estendera aquela armadilha na expectativa de apresar uma mosca, uma abelha, algo capaz de alimentá-la. O formato circular da teia se assemelhava a uma rede tecida por fios de prata. Reverberava à luz do sol.

Seria a aldeia uma teia? E nós, presas capturadas? Por que avô, mãe e eu permanecíamos murados naquelas matas? Ou seriam mais sutis as teias dos laços de parentesco?

Talvez a vida, para muitos, consista em se deixar apresar em uma teia. Há quem troque a liberdade pela segurança da teia. Uma teia atraente, sedutora, mas teia, porque aprisiona, suga e, por fim, asfixia. E o mais trágico: há quem escolha a aranha. E se submeta a ela.

A aldeia, em certos períodos, se assemelhava a um caleidoscópio. Sobretudo quando o sol, pela manhã, desfazia a espessa névoa que cobria a vegetação, como um noivo desnuda delicadamente a noiva, cuja beleza infla-lhe a emoção. A um giro do olhar, tudo se inesperava. A um movimento do corpo, contornos se redefiniam, desenhos se multiplicavam em diferentes tonalidades; saliências e reentrâncias adquiriam nitidez. A maior ou menor incidência da luz acentuava ou desmaecia a paisagem. A única desnatureza naquele grotão era o nosso casebre, erguido capenga à sombra da mangueira que o agasalhava da insistência do sol. Era uma habitação rústica, desprovida de cores, plena de espíritos benfazejos.

Os sons, tímidos, variavam: o latido de Basilea, o bater de asas de Ubelino, as folhas da mangueira flautadas pelo vento, um raio prenunciando tempestade.

Havia períodos em que múltiplas tonalidades de verde vicejavam naquele estertor. As chuvas de verão umedeciam o solo e a vegetação despontava vigorosa. A copa das árvores refolhava-se, o mato atapetava o entorno do casebre, o tronco da mangueira engordava de umidade.

Já no período da estiagem, o que se via era a aspereza de um microcosmo desfigurado, a inclemência do sol a desbotar a natureza, enxames de insetos em voos desencontrados. As noites calorentas nos atordoavam, a pele suava pegajosa, o sono entrecortava-se pela respiração ofegante. O ar se condensava na imobilidade asfixiante. Apenas os morcegos, com seus olhos brilhantes, se moviam ágeis sob o teto de palha do casebre.

Ali o vento soprava irregular, como se temesse cair em uma emboscada. Ausentava-se nos períodos de calor, vinha forte nas madrugadas frias, prenunciava chuvas nos períodos invernais. Entranhava-se nas paredes, enfiava-se pelas gretas da janela e da porta, assobiava no telhado, apagava as brasas do fogão, enregelava a família. Ao alvorecer, escapava célere dos primeiros raios de sol.

Em épocas calorentas toda a aldeia padecia insolação sem o menor consolo de uma brisa suave. A quentidão gotejava em nossos corpos, a vista embaçava, a indolência se nos apossava. O apetite minguava, ainda que eu me agastasse o dia todo no empenho de arrancar água da cacimba. O giro do planeta estancava naquela lonjura inóspita, habitada por três fantasmas travestidos de humanos e dois simulacros de bichos.

A mãe sugeria que o vento é o abano do ar. Já o avô opinava que Deus tem também suas carências e, por vezes, deseja ser notado. Então afunila o ar e o dispara em vento, que percorre distâncias acarinhando a Criação. Se é tomado pela braveza divina, tufa-se, esbraveja-se em furacões, varre a superfície da Terra. Às vezes, ébrio de plenitudes, põe-se a dançar no rodopio insano de tornados e ciclones. E quando se enfada de nós, cospe lavas pela boca ardente dos vulcões.

"O vento", comentou a mãe, "penteia as árvores na primavera para descabelá-las no outono."

O avô murmurou: "O vento gosta mesmo é de assobiar, para que prestem atenção nele. Por isso se retorce entre árvores e assopra as folhas, emitindo silvos."

As manhãs primaveris alvoreciam lavadas de nuvens. O sol onipresenciava-se. O alarido dos pássaros, os voos rasantes de Ubelino, Basilea embaralhando as pernas em corridas de uma ponta a outra da aldeia, o roçar do vento nas pedras, a luminosidade inebriante, tudo se impregnava de embriaguez telúrica. Sentia-me redimido de todas as pequenas inquietações que costumavam me assaltar quando eu deixava a cabeça voejar interrogativa. Bendita florescência a me incendiar a alma!

A mãe se entregava ciosa ao cuidado do casebre. Limpava o fogão, varria o chão, escancarava porta e janelas para deixar o sol arder ali dentro. O avô, sentado do lado de fora, se divertia em agrados a Basiléa. Aos saltos, ela emitia um latido estridente, espaçado, a manifestar alegria.

Inflado em ânsias, eu percorria a aldeia em busca de lenha. Machado à mão, escolhia os galhos mais secos, caídos como braços decepados. Enrolava-os em cipós e trazia o feixe como um guerreiro carrega o seu espólio. Deitava-os junto ao fogão para que o calor sugasse toda umidade.

As tardes modorravam naquela estação do ano. O calor atraía mosquitos, tornava as roupas grudentas, e a ampulheta do tempo escorria em lentidão atroz. A mãe deixava-se ficar à porta, como se à espera de uma brisa. Trazia os olhos perdidos nas lembranças do coração. Encostava o ombro no batente e abria a perna esquerda em triângulo para apoiar o pé no joelho direito. Nessa posição permanecia enquanto durassem suas silenciosas elucubrações.

A mãe diferia do avô. Também não desperdiçava palavras, guardava-se em si, alma e língua. Mas tinha a emoção mais aguçada do que a minha e a do avô. Nela o silêncio sobrepujava a mudez. Seu sentir transbordava pelos olhos, derramava-se nos gestos, afirmava-se nos procedimentos. As pérolas da mãe não se ocultavam em um oceano profundo, como acontecia com o avô. Boiavam à superfície, fartamente. Enquanto ele demonstrava, em cada atitude, a vagarosidade de quem vive momento a momento, ela atuava com agilidade sempre prestativa, ocupada em cozinhar e lavar as vasilhas, manter o casebre arrumado, limpar o quintal, colher verduras e dar de comer à Basilea. Trazia os cabelos pretos alinhados mesmo quando cobertos com lenços coloridos.

A vida na aldeia se assemelhava a uma viagem submarina, e a mãe era, ali, o nosso periscópio. Nela ressoavam os primeiros pressentimentos, as mudanças do clima, até as nossas oscilações de humor ela captava e acolhia com carinho. E quando encontrava tempo para perder tempo, recolhia-se, inteirava-se de si para si e, ensimesmada, afagava Basilea, conversava consigo mesma sentada no degrau da escada do casebre, entregue à intemporabilidade de seus fluxos e refluxos interiores.

A mãe tinha por hábito conversar com as plantas. Não sei o que dizia nem como as plantas se faziam entender por ela. Com frequência eu a via atenta às ervas, como se houvesse encontrado outra pessoa pelo caminho e, interpelada por ela, parado para dialogar. A mãe se agachava no canteiro e, enquanto regava, dizia algo que para mim era ininteligível. No entanto, passava a impressão de quem se debruça para contar histórias para crianças.

Vinha eu uma tarde da cata de lenha quando me deparei com a mãe ajoelhada junto ao canteiro de temperos. Seus lábios se mexiam como quem discorre sobre algum tema. Perguntei se falava sozinha. "Falo não, converso com as verduras." "Conversa o quê, mãe?" "Digo que devem crescer viçosas e não permitir que as pragas as molestem." "E elas respondem, mãe?" "Sorriem pra mim. Não vê que chegam todas alegres à mesa?"

A mãe acrescentou que tudo na natureza fala, nós é que não sabemos ouvir. Ou escutamos somente o que provoca ruído, como o latido de Basilea, o bater de asas de Ubelino, os trovões e o furor do vento. "Até mandioca desenterrada fala", disse a mãe.

Nossos ouvidos é que não captam o que dizem. Como poderiam as formigas labutar com tamanha destreza e organização se não houvesse entre elas comunicação de ordens, métodos e regras? O que seria da mangueira se suas frutas – umas estufadas, outras pontiagudas – tivessem inveja uma da outra? Se crescessem eivadas de ressentimentos, como poderiam ser tão doces?

O avô deu razão à mãe quando comentei à mesa que ela conversava com os frutos da terra. "Até a grande pedra que se ergue à frente da porta também fala", observou ele. "E o que ela diz?", indaguei cético. O avô ergueu a cabeça e me fitou nos olhos: "Fala a língua do silêncio, filho. Preste bem atenção quando estiver próximo a ela. Esvazie a cabeça de todo recheio. Amarre os olhos nela. Você haverá de escutar o silêncio da pedra e compreender o que ela diz."

O avô dormitava após o almoço. Ao despertar, mantinha-se deitado, olhos fixos no teto, talvez em busca do que pensar. Depois tomava assento ao meu lado na pedra e cachimbava. Ali passávamos a tarde livres de toda preocupação. Vez ou outra trocávamos uma interjeição, um bocejo, o estalar da palma da mão sobre o insistente assédio das moscas. De resto, a ociosidade desprovida de preguiça ou desalento. Sentinelas do tempo, ali o mantínhamos quase paralisado, esvaindo imperceptível até que tamanha sutileza se visse ameaçada pela chegada da noite.

Sentado na pedra ao lado do avô, eu acariciava Basilea. Derramava o olhar no rumo que ela apontava o focinho. Ficava a perder tempo com o que via e não via. Poucas vezes me distraía; fixava a atenção no retorcido de um galho da mangueira, no entrelaçamento do mato que nos limitava o espaço, na sinuosidade das nuvens. A visão vagava atenta, de modo que o detalhe olhado ficasse a me olhar.

Recordo o dia em que fixei os olhos em um graveto despido de folhas; jazia defronte à escadinha do casebre. Sentado no degrau mais alto, eu andava desabado de mim. Acomodara-me ali à espera de algo que me ocupasse a mente. Foi então que a novidade me atraiu a atenção: o graveto. Não media mais do que meio braço. Tinha a espessura do rabo de Basilea. Estirava-se ali no chão, inerte. Fiquei a contemplá-lo. De início, nada. Abissal distância entre o meu olhar e o que era olhado. Súbito, como uma sutil coceira na pele, suscitou-se entre mim e o graveto uma sintonia. O que era simples graveto jogado ao solo ganhou ressonância através de delicadas emoções que se apossaram de mim. E ele próprio parecia sair da inércia, livrar-se de sua aparente inutilidade, como se ganhasse vida. Do graveto, iluminado pelo sol, entrevi ranhuras e contornos. Tinha um desenho longilíneo e sinuoso, amorosamente acavalado ao solo que o sustinha. Talvez houvesse sido decepado da mangueira que se erguia à minha frente. Ou trazido, no colo do vento, de algum arbusto mais distante. Agora, refestelado ao chão, deixava-se admirar e, de alguma forma, também me admirava. (Quem sabe seja esta a razão de todas as coisas que existem no Universo: deixar-se admirar e admirar. Nessa troca de olhares talvez resida o sentido de tudo.)

O graveto guardava-se em silêncio. E à nossa volta perdurava profundo estertor. Ali, vez ou outra se escutava, muito longe, um silvo, um arrulho agônico, o lamento de um galho desprendido de seu tronco. Doía no peito, como se a natureza, desfalecida, encontrasse ainda forças para simular um sinal de vida.

Só quem viveu ali é capaz de ter ideia de que o mundo, em algum ponto de sua geografia, encolhia-se, enrugava-se, apertava-se pelo vazio de si, destituído de figuras e caminhos. Como o graveto caído ao chão visto por olhos desprevenidos. O mundo colapsava-se naquele lugar excluído da Rosa dos Ventos. Porque ali não existiam estradas nem qualquer indício a orientar o viajante. Nem havia mapeamento capaz de nos situar. Extrapolava-se da cartografia. Tratava-se de um labirinto cujas portas de entrada e saída eram desconhecidas.

Embora ali não fosse o deserto, de todos os lados emanava aridez. A natureza contraía-se em sístole. Ecoava enorme silêncio. O silêncio se manifestava como um grito mudo. E oprimia, asfixiava ao não encontrar espaço nas profundezas da alma. Se no meu íntimo havia muito ruído, o silêncio inquietava, derruía-me a face interior. Evidenciava a incapacidade de me recolher aos recônditos do coração. Por isso ao mirar o chão, o entorno e o céu, tudo ressoava como incomensurável abismo sem fundo. Só quando o silêncio se instaurava em mim, como naquele momento em que o graveto se deixou admirar e, de certa forma, me admirou, era-me dada a possibilidade de escutar ecos do silêncio exterior.

Em meu espírito vibrava aquele cenário dessedentado, ácido, como se ali Deus tivesse se esquecido de que preparara o chão para receber todas as belezas. Artista convicto de que sairia de dentro dele o admirável aos olhos alheios, após fixar no cavalete a tela em branco, Deus foi tomado por incurável amnésia.

A aldeia era a tela em branco.

Encontrei nas ruínas do povoado um maço de papel grosso, amarelado, cujas folhas ressecadas se haviam dilatado por absorverem umidade. O avô o identificou: um caderno. Indaguei-lhe a serventia. Frisou: "Para escrever." "Escrever? O que é?" Explicou-me: desenhar em letras o que brota do sentimento e da mente. "E o senhor sabe fazer isso?" Disse que não mais; aprendera menino na escola do povoado. Frequentou-a pouco, devido ao trabalho precoce na lavoura. Nunca mais escrevera. Recordava somente de quatro sinais de pontuação: ponto, vírgula, exclamação e interrogação.

Tomou em mãos um galho e, com a ponta, marcou os sinais no chão de terra. Indaguei pra que serviam. Disse que para revelar o caráter das pessoas. As egoístas encobrem de arrogância suas inseguranças; usam o ponto. As generosas, em busca do melhor para si e os outros, são como a vírgula. Os prepotentes, taxativos em suas opiniões, abusam da exclamação, não toleram quem deles discorda. "A sabedoria, filho, consiste em ser vírgula e interrogação. A vida é feita mais de perguntas que de respostas."

E as letras, eu poderia escrevê-las no caderno? O avô repetiu: não se lembrava delas. Ainda que soubesse, seria preciso a ferramenta chamada lápis; ali na aldeia não havia aquilo.

"Não posso escrever?", perguntei. O avô confirmou: "Você é analfabeto. Como iria escrever?" "Mas sou capaz de desenhar", insisti. Apanhei no fogão um pedaço de carvão e desenhei no caderno o perfil de Basilea. O avô, ao observar, sorriu: "Isso não é escrever. Para escrever é preciso saber ler." E disse que as letras formam um conjunto chamado alfabeto.

"Para que serve ler?" Retrucou: "Para escutar as letras. Quando se juntam, ganham voz. Dizem uma porção de coisas. Já nem sei se, hoje, seria capaz de ler as letras. Aqui na aldeia não há nenhuma letra. Sei ler sinais. Há quem saiba ler letras, mas não consegue ler sinais." "Que sinais?", interessei-me. "Sinais da natureza", replicou o avô. "Sei pelo cheiro do vento se vem chuva ou sequidão; pelo desenho das nuvens posso anteceder se o frio será forte ou ameno; o canto dos pássaros me indica o momento de plantar roça de milho e feijão. Essa leitura a escola não ensina. A escola ensina letras."

Então o avô explicou que, ao ver as letras dispostas de um determinado jeito no papel, eu haveria de captar conversas, imagens, ideias, histórias. Para isto servia o caderno: escrever.

"Não posso ler essas folhas em branco?" O avô sorriu e balançou a cabeça de um lado ao outro. Como haveria de ler se não havia letras?

Apesar disso, aprendi a ler nas folhas em branco. O escrito aparecia apenas na minha cabeça, em forma de pensamento. Porque pensamento é todo forjado em palavras, embora nele não haja letras. À medida que eu virava as folhas, a história avançava na minha imaginação. Naquelas folhas em branco redigi inúmeras histórias, preenchi vários cadernos. Assim aprendi a ler sem saber escrever e a escrever sem saber ler.

A mãe também não sabia escrever do jeito que o avô havia aprendido na escola. Quando mostrei o caderno com as minhas histórias, ela comentou: "Está tudo em branco... Não tem nada aí." "Tem sim, mãe. Quando olho para a folha em branco, desenrolo minhas histórias." A mãe sorriu, estendeu a mão, alisou-me o cabelo: "As histórias estão é aqui na sua cabeça, aninhadas na imaginação."

Não insisti. Aprendi com o avô: todo ponto de vista é a vista a partir de um ponto. Duas pessoas não enxergam a mesma coisa do mesmo modo. Não vemos apenas com os olhos do rosto; vemos também com os da mente e do coração.

"Mãe", falei convicto, "tudo brota da imaginação." Ela se intrigou toda, duvidosa se eu ouvira isso da boca do avô. Dei prosseguimento ao meu falar: "Você não imagina, antes de acender a lenha, o de comer que vai preparar pra nós? O avô, quando caniveta a madeira para fazer cachimbos, não imagina antes como serão o formato, o arredondado do fornilho, a extensão da boquilha?"

Aliviada, a mãe concordou: a realidade é filha da fantasia. Na fantasia se espelha a realidade almejada. E ali na aldeia vivíamos mais de fantasia que de realidade.

Tenho saudades das tardes em que ficávamos estirados na pedra. Acompanhados de Basilea, o avô, a mãe e eu, contemplávamos o horizonte. A policromia do crepúsculo causava em mim impacto extasiante. Arrebatavam-me a fulguração das cores, a progressiva mudança de tons, a sobreposição de aquarelas etéreas. A palavra quedava suspensa. Nada se dizia, nem com a boca, nem com o coração. Só mirávamos, como se os olhos, famintos e gulosos, alimentassem o vazio da alma.

Há momentos tão sublimes que pronunciar qualquer palavra é profanação.

Enquanto o avô se entretinha picando fumo, eu me ocupava chupando mangas. Encopava a fruta nas mãos e a apertava de leve para me certificar de que estava madura. Com suave mordida, abria um orifício na ponta inferior e, cabeça tombada sobre a nuca, rosto virado para o céu, levava-a à boca qual taça de néctar. Espremia-a e sugava ávido o caldo adocicado. Em seguida, rasgava a casca e metia os dentes na polpa macia. Saboreava cada naco até sobrar, em minhas mãos amareladas pelo sumo, o caroço descabelado de fios dourados. Então o atirava no meio do mato para repasto das formigas. E chupava os dedos.

Anoitecia, e eu continuava estirado na pedra; sentia o cheiro de Basilea ao meu lado e desorbitava os olhos para contemplar as estrelas. Haveria outros mundos, outras aldeias? Seriam as estrelas portas para outros Universos?

O avô pensava distinto. Acreditava que as estrelas não existem; existem orifícios na abóbada de nosso Universo, que nos deixam entrever o brilho advindo de outros Universos paralelos ao nosso.

Deitado ali na pedra, Basilea me lambia os pés, e meu pensamento esvoaçava enquanto eu fitava o céu brilhante. O fulgor intenso dos astros, nas noites desnudadas de nuvens, contrastava com o silêncio cósmico. Talvez a limitação residisse em meus ouvidos, incapazes de captar a melodia celestial, as explosões siderais provocadas pelo choque de galáxias, a agonia das estrelas supernovas, o colapso de buracos negros.

Haveria Pluriverso em vez de Universo? Disso me convenci ao captar uma ideia consolidada em convicção: cada pessoa é o centro de um universo singular. Que mundos distintos, contraditórios, conflitivos e admiráveis existem em cada um de nós! Quantos segredos inconfessáveis, tendências obscuras, sentimentos generosos, iras e amores! Quantas frustrações e alegrias, invejas e consolações, apegos e repulsas! Assim devem ser os astros observados na intimidade, superaquecidos ou frigidíssimos, cobertos de ranhuras e declives, redondos como a Terra ou dotados de traços geométricos que desafiam toda a lógica matemática.

Dizem que o brilho de uma estrela demora anos e anos para chegar até nós. Assim é o brilho de outrem até nossos olhos o enxergarem. Aprendi aqui no hospital que para admirar certas pessoas urge garimpar camadas e camadas de preconceitos, desconfianças, difamações, tabus. Superar barreiras, remover montanhas de entulho, até encontrar o diamante. Ainda assim há que lapidar olhos e coração para reconhecer-lhes o valor.

Nas tardes amenas em que ficávamos sentados na pedra, Ubelino preferia a cumeeira do casebre. Tomávamos a fresca, interessados em nada, apenas à espera de o dia se recolher ao advento da noite.

De certa feita, o avô começou a rir. O sorriso aflorou no alargar da boca. Os lábios abertos deixaram entrever os dentes amarelecidos. A boca tremia em gargalhadas, a cabeça volteava, os ombros sacolejavam.

Nunca antes eu o vira manifestar tanta alegria. A mãe também danou a sorrir. Contagiado, uni-me aos dois. Da garganta do avô emergiu um som hilário, efusivo, como se tomado por um abscesso de cócegas. A mãe e eu enlaçamos nosso gargalhar ao dele, enquanto Basilea, excitada, latia insistente, e Ubelino batia as asas como a refrescar-se. O avô, todo ele, arfava de júbilo. Parecia possuído pelo espírito de Bes. A mãe jogou a cabeça para trás e, com o pescoço caído sobre as costas, ria de olhos fechados para o céu. Eu tentava dizer algo, perguntar ao avô por que tanto contentamento, mas os soluços da euforia me impediam de falar. As lágrimas me afloraram copiosas. Rimos, rimos até a noite descer sobre a aldeia.

Esmaecida a luz da tarde, aos poucos o riso se despregou de nós. A alegria se esvaiu; Basilea parou de latir. Então, aquietados pelo silêncio, deixamos a pedra e adentramos a casa para cuidar da janta.

Senti-me estafado de tanto rir e, ao mesmo tempo, saciado. Como se o ato de sorrir abastecesse minha felicidade. Pelos semblantes suaves do avô e da mãe, creio terem experimentado igual reação.

As noites quentes de verão afugentavam o sono, exceto o do avô. Ele ressonava destituído de si. A mãe e eu oscilávamos entre mergulhos na sonolência e o retorno à vigília. Às vezes a mãe silvava baixinho uma música de acalanto. Eu me entregava a escutar a noite. Quantos misteriosos ruídos, como se lá fora o mundo se reordenasse para apresentar-se ao dia! Ou quem sabe a paisagem observada de dia se desfaça sob o breu da noite em figuras medonhas.

Tomado pela insônia, eu me levantava; do lado de fora, acompanhado pela cadela bêbada de sono, ficava a contemplar a negrura do céu perfurado de cristais. Buscava atento o desenho das constelações, acompanhava o brilho móvel de estranhas luzes, conferia o perfil mutante da lua. Ao contrário do sol, que grita quando as nuvens não lhe tapam a boca, a lua mantinha-se sempre muda.

A noite é um estado de espírito. Quando nos rouba o sono, atemoriza, turva a visão, obscurece a mente, atira-nos num redemoinho capaz de erguer e fazer flutuar todo o lixo que trazemos na alma. A noite alucina os fantasmas ocultos nos recônditos do nosso ser; arranca-os de suas cavernas e, ébrios de loucura, eles bailam ao ritmo de nossas covardias, medos e indecisões. Ameaçam, com suas pompas fúnebres, nossas frágeis esperanças; despedaçam-nas ao encontro das rochas do destino. Este é implacável! Quem se sobrepõe aos ditames da morte? Onde a luz de Diógenes vislumbra um rumo? Trafegamos tontos por nossas próprias inseguranças. Até que a noite, desfalecida pelo irromper da aurora, nos entregue lúcidos, assustadoramente lúcidos, nos braços acolhedores do dia. Dissipados fantasmas e temores, ingressamos na luz que aquieta o coração e livra a mente de todo estupor. Resta-nos, então, caminhar, caminhar ainda que sem rumo, mas caminhar.

Na aldeia meu caminhar seguia o risco imaginário de um círculo. Por mais que avançasse, retornava sempre ao mesmo ponto, como se o presente teimasse continuamente em sabotar o futuro.

Ora, para que futuro quando se encontra a saciedade? A aldeia não era o paraíso. Contudo, tínhamos o necessário a uma vida feliz. O suficiente. Daí a desimportância que avô, mãe e eu dávamos ao futuro. O amanhã se resumia a um novo amanhecer no movimento circular dos dias.

O futuro inexiste. Tudo é presente, e o que já não é presente é passado, ao qual jamais se pode retornar, exceto por meio da memória, capaz de retratar imprecisamente o passado no presente. A memória é o anzol empenhado em fisgar o que subjaz nas águas turvas do rio de Heráclito.

Futuro é sempre quimera. Existe na conjugação dos verbos, nos sonhos, nas ambições e nos projetos. É a morada do desejo. E o desejo, pulsão vital, nunca se contenta com o presente. Insaciável, escancara-nos à beira da encruzilhada: ser ou ter.

Sem desejo somos simples dejetos; nos demitimos da existência, ainda que prossigamos vivos. O que qualifica o desejo é o seu objeto, como a flecha justifica o arco. Há desejos que extrapolam nossas possibilidades, deixam buracos no coração, lesam a alma. Outros, oníricos, pairam acima do nosso real interesse em alcançá-los. Estes refrescam a alma, divertem o espírito, nos permitem sonhar acordados. E há desejos que nos fazem felizes quando centrados em bens impalpáveis.

Ali na aldeia o desejo não se traduzia em futuro, era todo ele intensidade, adubar contínuo dos vínculos que uniam avô, mãe e eu, Basilea e Ubelino, e também o entorno no qual estávamos inseridos. Tudo era um. E nisso se resumia o nosso desejo; e também este arco chamado presente cuja flecha denominamos futuro.

Na aldeia não me sentia solitário, exceto quando, de minhas entranhas, emergia a turbulência que me intumescia a macheza. Então, todo o meu ser aflorava em ardências. E eu me perdia pelas trilhas para poder desatar a volúpia e desafogar o coração. Cantarolava, tocava flauta, deixava-me levar pela insensatez telúrica até a premência aquietar-se.

À noite, deitado na pedra, eu observava as estrelas, enamorado de tanto brilho. Ao recolher-me ao casebre, escutava o ressonar do avô escondido em seu catre e, pelo ventre bojudo da rede, via a mãe já entregue ao sono. Após apagar o candeeiro de óleo de mamona, me abraçava à Basilea e encolhia-me em um canto próximo ao fogão de lenha.

Lembro da madrugada em que deixei a mente ruminar a palavra que há tempos havia brotado em mim: *afago*.

Gosto de dormir abraçado e aquecido por uma palavra suave. O sono permite ao tempo caminhar sem ser visto. Deixa o tempo perder tempo. E quando a gente dorme, o tempo deixa de ter pressa e avança mansamente. Ao acordar, temos a surpresa de quanto o tempo progrediu!

Ali no ermo tudo tartarugava. Pelo estreito gargalo da ampulheta passava, de tempos em tempos, um único grão de areia. Não me importava. Em si, a vida não tem ritmo, apenas lateja na pulsão de perene sobrevivência. O ritmo depende do que a cabeça de cada um imprime ao seu existir. Há quem obedeça à rotina; outros submergem em atribulações. Nada depende de velocidade, e sim de intensidade. Um piloto de avião transatlântico talvez se sinta aborrecido ao repetir periodicamente a mesma rota. A dançarina de balé sabe que cada apresentação representa um novo desafio. Para ela não há rotina nem o estresse que consome aqueles que, nas grandes metrópoles, lutam incessantemente para vencer uma disputa, contra si e contra o tempo. Essa disputa não conhece vencedores, apenas competidores.

A mim bastava, ali na aldeia, estar vivo, desfrutar da felicidade de não ter com o que me ocupar, a não ser fazer nada e observar aquele oco de mundo. A pulsão, eu a invertia no rumo da subjetividade, como faço ainda hoje, já que o alvo do meu desejo se encontra no mais profundo de mim mesmo.

Dentro de minha cabeça borbulhava um universo fecundo de palpitações. Nele eu mergulhava para observar melhor. Meu olhar sobrepassava a natureza, o casebre, todos os detalhes à minha volta, até que me viesse a quietude interior.

Então, fitava o nada.

Um dia o avô, tomado de estranhamentos, cobriu a cabeça com o chapéu de palha; avisou que se ausentaria por um tempo. Ousaria de novo transpor os limites da aldeia? Buscaria o mundo exterior? Romperia a película invisível que nos retinha ali? "Não, não irei longe", prometeu ao nos tranquilizar. "Vou até ali", e apontou com o queixo coberto pela barba. "Rever os antepassados."

Apoiado na bengala de pau de goiabeira, a boca entortada pelo cachimbo, afastou-se em passos capengas. Arrastava com dificuldade os pés enfiados nas sandálias de fibras. Antes de desaparecer do meu horizonte, cessou o andar em uma capoeira. Fui ter ao encontro dele. Ali descobriu a cabeça, pousou chapéu e bengala em um toco de árvore decapitada, acendeu o cachimbo, assoprou fumaça em volta e, cabeça baixa e olhos fechados, recitou uma prece inaudível. Depois, pôs-se de cócoras e entregou-se a uma conversa espichada com os antepassados. Talvez falasse a língua dos mortos, dado que, do que escutei, nada captei.

Ao retornar, caminhamos em silêncio, ele guarnecido de reverências aos que se foram desta vida, eu entretido com o eco daquela reza indecifrável em minha cabeça. Súbito, sem que eu nada lhe perguntasse, deixou escapar este comentário: "As pessoas não morrem; transvivenciam."

O avô possuía apenas uma muda de roupa. Era homem soberbo, agigantado em dignidade, guardião fiel dos sofrimentos que conhecera no antanho. A mãe, com seus trapos, emanava uma beleza serena, angelical, na suavidade da voz, no gesto tímido, na frescura perene do olhar.

O pai, contava a mãe, havia partido tão logo nasci. Quis levar também ela e eu. "Tem que existir coisa melhor que esses confins", berrava. A mãe não admitiu largar o avô sozinho no oco do mundo. Sabia que, apesar de tudo, era ali o nosso chão. Ali haveria de me criar como fora criada.

O pai catou um punhado de milho, desenterrou mandiocas, colheu do poço um pouco de água barrenta e, acompanhado do primeiro filho, partiu em busca do mundo. Quando a mãe indagou-lhe como sabia se o mundo existia mesmo, ou se aquilo de mundo não passava de conversa à toa, o pai retrucou que Ubelino lhe trouxera provas da existência do mundo. Retornara de suas voagens com indícios do lá longe: primeiro, um pedaço de osso. Tinha ainda a quentura de que, até há pouco, fora revestido de carne. Nas reentrâncias, marcas de sangue. Depois, um rasgo de saco plástico preso nas garras sujas de piche.

Às vezes eu invejava Ubelino. Soberanamente livre, voava quando e para onde quisesse. Algo nele, entretanto, desagradava o avô: se alimentava de detritos. "Uma livre liberdade", frisou o avô, "ainda que capaz de altos voos, não se alimenta de restos de cadáver. Se assim for, terá sempre cheiro de podridão."

Embora na aldeia prevalecesse o silêncio, estar calado não significava estar silenciado. Ainda hoje é incessante dentro de mim o monólogo interior. De certo modo, isso me irrita, porque nele ressoam inúmeras vozes. Não há lógica nem sequência, a sintaxe se desintegra. Às vezes, faz um barulho infernal. Sem que eu queira, soam dentro de mim as mais estranhas vozes. Vozes de melancolia, revolta e luxúria; vozes de inveja, desfeita e indiferença. "Dentro de mim habitam muitos", sublinhava o avô. No meu íntimo, fico a me perguntar qual deles sou eu. Qual deles traduz a minha verdadeira identidade? Qual faria calar todas as outras vozes que ecoam dentro, ainda que, racionalmente, eu as repudie?

Na aldeia não ficávamos calados; fazíamos silêncio. Calar é se recusar a dizer. Renunciar à palavra. Deixar que a palavra, brotada nos desvãos da mente, fique aprisionada pela língua que sente a sua premência e, no entanto, se nega a expressá-la. Calar é sonegar, evitar emitir em som o que já está dito na subjetividade. Cala-se a criança, que surrada pelo pai, teme passar de novo pela dor. Cala-se a mulher que, humilhada pelo marido, prefere omitir respostas ou proferir agressões verbais, convencida de que não vale a pena atirar gasolina na fogueira, ou então escolhe outra forma de se vingar que não cabe nas palavras que a inflam de mágoa e ira. Calar-se é uma atitude de defesa e menosprezo, indiferença e superioridade. Nem sempre quem cala consente. Quem cala se refugia em sua fortaleza moral ou se esconde sob sentimentos malévolos para melhor elaborar seu revide.

Aqui muitos médicos costumam calar suas emoções. Diante de enfermos deformados, como pessoas seriamente afetadas por queimaduras, fazem de conta que não têm a sensibilidade arranhada ao encararem o paciente. Também as monjas são dotadas de um silêncio singular: o da dúvida. Como ousaria uma mulher que renunciou ao casamento, aos prazeres da vida, à vaidade feminina, confessar que, intimamente, se pergunta se haverá de fato compensação para tanto sacrifício? E se Deus não existir? E se todo discurso catequético não passar de uma coleção de lendas que, no lugar de fadas e dragões, introduz anjos e demônios?

O coração humano é depositário de dúvidas; ora cheio de fé, ora cético, ora piedoso, ora herético. As monjas percorrem esse terreno pantanoso em beatífico silêncio.

Nem todo silêncio é encontro de si. Nem todo silêncio redime. Há aparentes silêncios que são completa mudez – silêncios amargos, doloridos, que envenenam a alma –, como há silêncios inflexíveis de quem se nega a reagir diante de quem o destrata. É o caso do silêncio de Jesus perante Pilatos, comentou irmã G., catequista do hospital. Jesus se recusou a responder o que é a verdade. Se o governador romano não tinha olhos para ver, como teria ouvidos para ouvir?

Irmã G. tem a pele cor de jambo, e o pouco cabelo que se entrevê sob o véu que lhe cobre a cabeça é um tufo de espirais. Traz na face um ar de inocência pueril. A voz ressoa como se modulada por anos de aprendizado, de modo que dela não se escuta nada que soe em tom brusco. Outro dia, se queixou de que não falo. Abri-lhe um sorriso. Creio que serviu de resposta. Quem me dera não falar! Repito: há uma intensa falação dentro de mim. Às vezes me pergunto se, ao longo da vida, mais falamos para fora ou para dentro. Não tenho resposta; sei que, no meu caso, meu monólogo subjetivo substitui o diálogo com as pessoas. Na verdade, nem se trata propriamente de monólogo. São múltiplas vozes que se expressam, como se a linguagem perdesse a sintaxe, estilhaçada por esta hélice de liquidificador – o fluxo de (in)consciência. Calar essa voz interior é algo que só o silêncio da mente alcança. Mesmo quando durmo, ela ressurge nos sonhos. E quase sempre meus sonhos driblam a memória. São vozes que não são ditas nem lembradas. Apenas ressoam como rumor de delicados fios de água que, brotados do ventre de montanhas recobertas de vegetação, dão origem aos grandes rios.

O verdadeiro silêncio traduz a leveza do espírito, sobretudo quando não há na subjetividade uma enxurrada de palavras reprimidas nem a mente se sente atordoada por evocações confusas. Meu silêncio, ali na aldeia, quase sempre se tecia no vazio do mais profundo do meu ser. Era a fragrância de minha radical despreocupação, uma espécie de ócio íntimo, de primeva intuição. Uma imponderável desvocalização, como se nada houvesse a ser dito. Ficar recolhido, entregue à densidade interior, resguardado da própria memória, como era o caso do avô. Dar vez à voz do coração.

Já a mãe se entregava a um silêncio bailarino, silêncio de quem é capaz de dançar sem escutar música, basta a ressonância intuitiva e o movimento lépido entre os afazeres cotidianos. O corpo, frágil e ágil, ora na cozinha, ora no quintal a debulhar o milho ou descascar mandioca, executava passos precisos de dança, arte espontânea a prescindir de qualquer ruído, seja o da melodia ou dos instrumentos rítmicos, seja o da palavra.

Não é fácil admitir que tememos o silêncio interior. Nele estamos irremediavelmente entregues à própria indigência. Somos reduzidos à nossa fase mais primordial, quando sequer sabíamos balbuciar. Por isso, evitamos penetrar nessa caverna cuja porta se encontra atrás do ego. Para disfarçar o medo, nos cobrimos de toda sorte de máscaras e fantasias, dissimuladas na identidade que não é a nossa, não reflete a nossa verdade, mas convém à nossa autoestima e à nossa sociabilidade.

Se em certo momento ficamos sós, sem nenhuma ocupação premente, isso nos atemoriza. Tratamos logo de nos ocupar de alguma maneira, de modo a fugir, célere, dessa voz que, paradoxalmente, *fala* através do silêncio. Atiçamos imagens e pensamentos atulhados na cabeça como quem atira mais lenha para ativar o fogo que, na lareira, lambe os últimos pedaços de carvão. O importante é nos mantermos à superfície, como o náufrago se socorre no mastro mais alto das velas.

O silêncio interior é como um lago que convida ao mergulho. Mergulho batismal, de quem submerge para renascer. Mas cadê coragem? E o medo de se afogar? Então, nos apegamos a tudo isso que ilusoriamente nos traz a sensação de que pisamos em terra firme: os cinco sentidos, a razão, as atividades, as relações sociais. Tudo que nos impeça de cair no lago e sermos engolidos por suas águas profundas. Isto que entrava a possibilidade de experimentarmos essa estranha metamorfose: ir ao encontro de nós mesmos, revestir-nos do próprio lado avesso e descobrir que a nossa verdadeira imagem é a que se esconde atrás do espelho.

Na aldeia, nossa entrega ao silêncio obedecia a uma metafísica inconceituada, uma vez que o encontro com o outro era o encontro consigo, como se a voz silenciosa do Mistério fizesse ressoar, no íntimo, um convite à comunhão. Ali a mangueira, plena em seu esplendor vegetal, fazia-nos antieco. A natureza não se cala; é em si mesma silenciosa. Se ruge é por desassossego em seus excessos.

Nunca desgostei da vida na aldeia. Por não conhecer outro modo de viver, ali eu me entregava à morosidade do tempo, à repetição incessante dos dias, ao ciclo previsível das estações.

No outono, a policromia do pôr do sol me enlevava: a cor escarlate derramada na linha que costura o encontro do céu com a Terra, as variadas tonalidades de azul e as rajadas emergentes de amarelo-ouro. Aquele belo horizonte embevecia-me. Eu não distinguia em mim nenhuma ideia, nenhuma imagem, nenhum pensamento. Acalmava-me os nervos, pausava a minha respiração. Acalento. Era capaz de ouvir o fungar de Basilea, o ressonar do avô, as batidas do meu coração. Às vezes tinha a impressão de que toda aquela beleza me olhava e via em mim um outro que não sou eu e, no entanto, funda a minha verdadeira identidade.

Sentia até um pouco de medo desse olhar voltado a mim. Olhar decifratório, desafiador, desnovelador. Olhar que brota do silêncio, não necessariamente como ausência de ruídos exteriores, mas do silêncio de aquietação de si, mergulho imponderável que permite decifrar enigmas interiores.

Eram momentos em que o tempo se diluía dentro de mim. Então, eu peregrinava pelas tortuosas veredas do espírito, deixava-me engolir por abismos infindos, precipitava-me em crateras insondáveis. E, na ausência de gravidade, flutuava. Ficava a dúvida se eu era eu mesmo ou um outro a ocupar meu estofo interior; ignorava se eu me encontrava dentro ou fora de mim. O meu existir, na contramão do axioma cartesiano, irrompia como ausência de pensamento. No vazio da mente eu me afirmava como ser; e quando a mente, qual esponja, se impregnava de pensamentos, ideias, imagens e lembranças, eu me sentia exilado nessa projeção imaginária, como se meu ser fosse apenas o seu reflexo no espelho.

Caída a noite, mantinha-me na pedra, a mente fixa no nada, os olhos vazados de visão, a respiração pontuada, esquecido de mim. Acometia-me misteriosa exaltação. As palavras se exilavam de seus significados, as ideias se afunilavam em sinergia, as partes se transmutavam no todo. Passado e futuro se fundiam no presente. E o presente se fazia mero presente. Meu ser suspendia-se em evanescências.

A transcendência, tornada em mim imanência, se aconchegava na profundência.

Raros aqueles momentos de inefabilidade. Porém, calcinaram o coração e deixaram marcas que não se apagam. A razão naufragava em um oceano inundado de sutil e intensa sensação amorosa. Não havia propriamente prazer. Havia felicidade e desafio – essa experiência que supera os sentidos, o entendimento, e faz aflorar toda a pulsão do espírito. Eu me derramava para dentro e para fora de mim mesmo. Era um transbordar incessante, como se todas as sobras e excessos se desprendessem do meu ser, do meu autêntico ser, extirpando as gorduras do espírito.

Sobre a pedra, eu permanecia em estado de contemplação. Nada parecido à paralisia da alma, nada de inércia como se eu estivesse tomado por uma espécie de ignorância letárgica. Havia êxtase, vibração, fruição, gozo. Um frenesi místico, o cintilar de misteriosas luzes interiores, estado de embriaguez fulgurante, como se as contrações espasmódicas do Universo coubessem, agora, no aninhamento do espírito. Ali, tomado por essa ânsia ascendente, eu me embebia de divindade, atirava-me à luxúria volátil de algo ou alguém que me possuía por dentro. Então, experimentava uma exuberância de vida, o palpitar acelerado do coração, o ardor de um fogo que se alastrava sem queimar, se espalhava sem consumir, fogo que tudo envolvia e, no entanto, não podia ser visto, apenas pressentido. Ainda que suas chamas se erguessem, elas não iluminavam senão minha interioridade, como archotes empunhados por quem trafega cauteloso e confiante por sendas obscuras de uma caverna sem a menor noção de onde haverá de desembocar.

Foi ali, imóvel sobre a pedra, que me veio a revelação. Não veio de cima, dos céus, do além. Veio do mais profundo de mim mesmo, dos bastidores de meu íntimo, de lá onde a mente não alcança, a imaginação não concebe, as palavras não traduzem. Fez-se silêncio em meu entendimento, a memória serenou, a imaginação refluiu, a vontade aquietou.

Senti-me inundado pelo paradoxo – emaranhado de paralelas que se encontram no infinito. Soava em mim uma música silenciosa. Descobri que o tudo é o nada, o escuro é o claro, o eu é o outro, o vazio é o pleno, e a dor é o amor. Operou-se em meu ser a síntese. Puro dom. Não resultava de uma elaboração de meu raciocínio nem de uma construção do meu espírito. A pedra, a luz diáfana do dia, o agasalhar da vegetação circundante, e eu ali imóvel, silente, interiormente despojado, subitamente tomado por aquela fonte de água viva que jorrava do mais profundo de mim mesmo; primeiro, poucas gotas, depois, o fluxo incessante, a maré a subir sem retorno e, por fim, o oceano no qual me afoguei para me salvar do naufrágio.

Rompeu-se a película entre mim e o outro. Ele, o meu avesso, avesso que expressa meu mais genuíno ser, onde todas as carências se suprimem, as comportas cedem, as barreiras caem, os limites se rompem, e só o amor impera, enquanto minhas entranhas ganham asas e meu espírito se inebria de deleites, os mais indizíveis deleites.

Ali permaneci em alerta espiritual. Tudo em volta se deixou tomar por um silêncio ensurdecedor, silêncio a brotar de dentro para fora, a prenunciar indefinível Presença.

Não há como definir essa Presença, senão atribuindo-lhe todos os predicados do amor. Presença cativante porém fugaz, como os raios de sol que nos aquecem e, no entanto, jamais podem ser aprisionados. Eis o momento – sublime gosto de eternidade – em que experimentei a vulcânica sensação de que meu espírito ascendia a misteriosas alturas que provocavam vertigens à razão. Por isso, em nada pensava, demitia-me de toda lógica e dedução, mergulhava na sabedoria ignota que, diante de inesperada e suficiente resposta, dispensa todas as perguntas.

Como vagas de uma enchente a encobrir margens, pontes, casas, a subir pelas encostas em dilúvio incontido, o silêncio imperava. Silêncio densamente amoroso, que suprime todas as palavras e deixa apenas, no fundo do espírito, um eco sutil, delicado, como se o mistério, que faz em nós sua morada, tivesse enfim acordado para cuidar das flores de seu jardim de primícias.

Nunca viajei, exceto ao me trazerem à cidade. Pressinto, entretanto, que aqueles momentos me envolviam em uma viagem alucinada, viagem que em mim ultrapassava todos os limites, embora meu corpo permanecesse no mesmo lugar.

Agora, no leito do hospital, vez ou outra rememoro essa viagem. A diferença é que, hoje, procuro expressá-la em palavras, e tento balbuciar o inominável, traduzir o intraduzível, mesmo ciente de que, se sou capaz de pronunciar o nome da ave, jamais poderei descrever com precisão a magia do voo.

Pela palavra resgato neste caderno minha trajetória de vida. Revolvo meus guardados e procuro espelhar no texto meu itinerário a bordo do paradoxo entre palavra e silêncio.

Ao registrar aqui minhas memórias e impressões, descubro que a literatura é uma fala silenciosa. Gravo nas páginas em branco deste caderno – páginas que, até então, jaziam no silêncio oco – a escritura que traduz e explicita o meu pensar e o meu sentir. Sou, a cada frase, surpreendido pelo que escrevo. A linguagem não está em mim. Toda ela me envolve. Ela me possui e escreve o meu escrito.

Ao reler o que escrevi, ouço a narrativa e as evocações, sem no entanto quebrar o silêncio que emana do texto e me impregna. De certo modo, refugio-me no que leio. Talvez isto explique a natureza imorredoura da literatura: conter um mundo próprio que nós, leitores, percorremos como às apalpadelas, tropeçando nos significados e beirando abismos, conscientes de que jamais teremos em mãos as chaves adequadas para abrir as portas do mistério que faz dela uma obra de arte.

A escrita fotografa meu universo interior. O texto fala. Quando a morte me encobrir com o rígido e cadavérico silêncio definitivo, este texto, caso sobreviva a mim, prosseguirá sua fala silenciosa. Se alguém abrir este caderno, se deparará com uma voz cuja fonte se calou e, no entanto, ainda ressoa por essas páginas – assim como chegam a nós, agora, o brilho de estrelas que, nos vastos espaços cósmicos, já se apagaram há séculos.

Toda a bela desolação da aldeia, curiosamente agora descortinada aos olhos da minha memória, é irredutível às palavras e, no entanto, só as palavras a expressam. Orfeu desce aos infernos para resgatar Eurídice.

II

POVOADO

"Tem saudades do progresso havido no povoado?", perguntei ao avô. "Na criança que resta em mim, trafega a lembrança da locomotiva", retrucou. E explicou o que é locomotiva: "Cabeça fumegante de imensa cobra de ferro." Em seguida, acrescentou: "Saudade mesmo, só tenho do café." "Café?!" A mãe disse tratar-se de bebida feita com uma frutinha escarlate que resulta no pó negro que se mistura à água fervente. "Sinto agora o aroma do café", nostalgiou o avô. "Ah, quem me dera trocar nossos chás de ervas por um gole de café!", exclamou estalando a língua.

A mãe segredou-me: "O coração do avô derramou-se em tristeza ao ver o povoado adoecer de opressão." Nos antanhos, quando ainda o avô juventava, havia ali lavouras e pastos. Cada família cultivava o próprio roçado. Ninguém padecia desventuras; frutos de um, desfruto de todos.

Veio a ganância, fincou estacas entremeadas de arame farpado, e delimitou espaços. Na fazenda despontou, imponente, a casa-grande; o proprietário, enfiado em botas de canos altos, exibiu papéis; a Justiça exigiu recibo das famílias. Não foi aceito o apalavrado, o fio de bigode, e a traição anulou a tradição. O que era perdeu valia. À pressão da retórica irada sucedeu a violência. Envenenaram cursos d'água, velhos murcharam afogados em tosses, crianças amarelecidas naufragaram em vômitos, homens e mulheres definharam. Cortaram cercas, descarnaram o gado, roubaram porcos e galinhas. Fizeram arder em fogo a plantação e destruíram as casas, mordidas pelos dentes gigantes de uma escavadeira. Restou a capela. Um ou outro tentou resistir, mas as armas da jagunçada calaram os clamores. Aquela terra adubou-se de sangue.

Na madrugada da festa de São João, o avô furtou-se à vigilância dos jagunços – todos bebadamente desmaiados na varanda da casa-grande –, derramou gasolina nas estacas que sustentavam o imóvel, nas colunas de encaixe das paredes, nos caibros de apoio do telhado, e deixou as labaredas mastigarem a intolerância.

Restou quase nada de gente no povoado. Dos poucos, a maioria se escafedeu mato adentro assombrada de medo, agarrada à ponta de um fio de vida. Tomou o rumo do desatino. Os que sobraram, as águas infectas afogaram na morte. O veneno só não causou efeito no avô, no pai e na mãe, porque se dessedentavam na cacimba junto ao casebre. Ficaram ali a enterrar os mortos, perdidos no labirinto de atrocidades. O mato cresceu em volta, sombreou espíritos, e baniu-os do mundo.

Na quentura de uma tarde desalentada de ventos, relâmpagos alumiaram o horizonte; súbito, o céu enegreceu, eletrizou-se e descarregou uma chuva de raios. Um deles incendiou a capela.

"Deus se demitiu", comentou o avô, apertando o fumo no fornilho do cachimbo, enquanto descrevia aqueles outroras.

Pairava uma sombra nostálgica no avô, que guardava na memória a época em que a aldeia era povoado. Ali na pedra – ele e eu sentados, Basilea acariciada em meu colo –, perguntei se conservava muitas lembranças de sua meninice e juventude. "Lembrança, filho", observou, "é o que fica armazenado atrás da mente, lá no fundo do sentimento, como tralhada dentro de baú escondido em algum canto da casa. Impossível saber tudo que se esconde lá dentro. Mas o que está fica. Até que acontece algo, alguma coisa mexe com aquela outra coisa guardada na lembrança. Se sua mãe me fala do dia em que se casou, a festa toda acende na minha memória. A fala dela abre o baú. E eu, momento atrás, nem pensava ou lembrava do casamento.

Mas basta falar para sair de dentro do baú. A palavra desperta a memória. As outras coisas que o baú guarda e não são apalavradas prosseguem adormecidas."

O avô contou que o mais difícil é quando a memória acorda ferida pelo sentimento. Isso, segundo ele, é o lado obscuro da alma. E acrescentou que, da época do povoado, ele ainda sentia pontadas de muitas feridas, pois se alembrava de coisas ruins, como maus-tratos do dono da fazenda, maus-tratos aplicados não pelo próprio dono, mas por seus capatazes, como sempre acontece quando uma pessoa poderosa faz mal aos outros: ela nunca põe as mãos na massa, jamais as suja de sangue, dá um jeito para que outros façam isso por ela, emprega esbirros, cerca-se de serviçais que multiplicam as ordens recebidas na proporção exata do puxa-saquismo de querer agradar o patrão. Não consideram suficiente dar um tiro na cara do lavrador que resiste à proposta de vender sua terra por uma ninharia. Preferem emboscá-lo na estrada, arrancar-lhe as unhas, espremer-lhe os bagos, queimar-lhe a pele com pontas de cigarro e, por fim, cravar-lhe uma bala na nuca para que gente como ele aprenda, de vez por todas, que não se ousa deter a gula quando se trata de devorar mais e mais terras.

Passado o tempo de a mangueira dar frutos, o avô contou que a aldeia, quando povoada, chegara a ter duas dúzias de casebres, além de vacas, porcos, galinhas e um burro. No córrego que a cortava, cercado de taboas, se pescavam piabas. Havia também a capela de torre tímida, a porta em arco e, lá dentro, um altar de cimento encimado pelo nicho com a imagem de um santo que o avô não sabia dizer o nome. Lembrava apenas tratar-se de um santo muito fraco, de poucas rezas e nenhuma devoção. "Deve ter sido a falta de rezas que tirou a utilidade do santo", resmungou. As vacas, por carência de prenhe, não deram crias; secou-lhes o leite. O pouco de pasto, comeram em breve tempo. Quando os ossos despontaram na cacunda, os moradores julgaram ter chegado o momento de aproveitar-lhes a carne antes que a magreza as consumisse. Fez-se um churrasco, e valeram-se da ocasião para casar a mãe com o pai.

Depois a fazenda se expandiu no rumo do povoado e o burro sumiu nos matos. Certa manhã, o encontraram morto na beira do córrego. Derramava sangue pelo buraco do tiro que lhe abrira a cabeça. Os moradores não tinham mais como carregar lenha, pedras ou água. Acuados pelo latifúndio, arrastaram suas vidas até que a dama da foice viesse buscá-los. Houve o envenenamento da água e o incêndio da casa-grande. Sobraram o avô, a mãe e o pai com o irmão que já havia nascido.

Era fácil identificar nas redondezas os terrenos nos quais se erguiam os antigos casebres. Do que sobrou deles, a madeira nos servia de lenha. O barro secou e, soprado pelo vento, soterrou de lama o córrego. A água afundou-se no solo. A capela pegou fogo – o avô acreditava que por obra do próprio santo, cansado de tanta ociosidade. O chão trazia a marca escura do queimado. Restou apenas a imagem chamuscada. Impossível adivinhar-lhe a expressão do rosto esculpido em madeira. Indevotado como era, devia ter cara de sacristão descrente.

O avô contou ainda que, na cidade, conhecera o mar. "O que é mar?", interessei-me. "É o pão do espírito", exclamou. E explicou: é um pasto infindo todo feito de água que se avoluma e descabela quando beija a areia da praia. Beija e se retrai como namorado tímido. O mar espelha o céu; por isso, é azulado quando o céu se desnuda e acinzentado quando ele fica encoberto. Como a chuva vem de cima, o mar vem de baixo. E ele, sob tempestade, adquire cor de panela de alumínio polida.

"O mar também molha a terra, como faz a chuva?" O avô disse que o mar é a mãe da terra, como o ar é a origem do mar. No princípio, havia apenasmente ar. Tudo era ar, sopro divino. Deus um dia caiu em si, sentiu muita tristeza da própria solidão. Suas lágrimas transformaram o ar de seu respiro em água e a água encheu todos os abismos do mundo, formando o mar. Umas partes do mundo ressecaram, viraram terras ocupadas por montanhas, matas, planícies, sobre as quais mais tarde surgiram as cidades.

"E só na terra vive gente e bichos?" O avô segredou que o mar é morada de bichos sem patas, pois não se pode caminhar sobre as águas, somente navegar. Esses bichos são chamados de peixes, vivem dentro d'água sem perigo de se afogar. "E tem gente dentro do mar?" "É uma gente diferente", falou o avô. "O corpo é metade humano na parte de cima e metade peixe na de baixo. As mulheres são chamadas sereias; os homens, netunos."

Na mãe adivinhei as sombras do tempo na pele empelicada das mãos, no envergar dos ombros, na fraqueza das pernas, nas rugas desenhadas em seu rosto, demarcando sulcos mais acentuados. A magreza sugava-lhe a face, os olhos espichados afundavam-se nas órbitas, os cabelos ela os mantinha curtos, deixando à vista o pescoço fino e longilíneo. Nela meu coração pressentia uma beleza disfarçada pelas agruras da vida.

Em mim percebi nitidamente o espichar do corpo para cima, a voz perdendo a prevalência dos agudos para dar lugar aos graves, os pelos recobrindo o corpo como mata a florescer na estepe nua.

Isso levou uma eternidade para acontecer. Na aldeia – fora os movimentos do meu corpo, os parcos gestos da mãe e do avô, e a inquietude dos bichos –, todos os marcos da temporalidade se haviam esboroado. Não cresci em idade, apenas em tamanho.

Avistei em um fim de tarde, lá onde meu olhar alcançava limites, a poeira cósmica com que Deus fez o mundo se alevantar, cobrir o horizonte e ensombrar o céu. Fiquei tomado por aquela alegria infantil de quem sorri à descoberta de um gesto inusitado, uma carícia tola, o agrado onomatopaico da mãe no empenho quase ridículo de dialogar com Basilea. Alguma coisa nova acontecia. Aquela nuvem de pó haveria de nos bafejar e renovar o ar que respirávamos.

Cismou-se em mim tratar-se de um furacão ou, quem sabe, um tornado, ou ao menos um vento carregado de partículas elementares, grávido de alvíssaras. Tirante os voos do Ubelino, nada grande se movia naquelas plagas. Fui tomado por uma exaltação incontrolável, minha alegria extravasava, corri a casa para chamar a mãe e o avô. Dos confins em que se estendia o mundo, algo se dirigia à nossa desolação.

De pé sob o batente da porta, o avô arrancou da boca o cachimbo fornido de palha seca. Expirou a fumaça e observou com a voz arrastada: "Aquilo não é coisa boa."

E me fez entender que vento, tufão, tornado ou furacão enviam antes um hálito de expectação. Prenunciam o perigo e nos permitem avaliar o grau de ferocidade da natureza. "Aquilo que vem lá é desnatureza", frisou. "Não faz ruído e venda os olhos do céu. Vê só como vem arrevesado."

Voltou o cachimbo à boca, enquanto a mãe fitava silente o estranho vendaval a se aproximar. Súbito, ela falou: "Vamos rezar ao santo sem nome." Puxou a reza e fui atrás. Ao menos tínhamos um santo a interceder por nós. Do avô não sei, ele tinha suas diferenças com Deus.

Houve um momento em que vislumbrei uma bênção: chuva. O céu enegrecia à medida que o epifenômeno se movia. Aquilo se retorceu de modo estranho e soprou com fúria sobre a aldeia. Ficamos impregnados de fuligem. Nossas caras empretejaram. Meus olhos queimavam e minha respiração acelerou em busca do ar que faltava.

"Isso é lixo do progresso", murmurou o avô. E disse ainda palavras de maldição que não captei. A mãe, inerte à frente do casebre, quis lavar o rosto com lágrimas. Seus olhos haviam secado. Na fonte – o coração – a vitalidade esvaecera. A cadela ficou da cor de taquara queimada. Ubelino tentou sobrevoar aquela massa cinzenta, mas recuou tingido de prateado fosco.

Fiquei matutando: o progresso...

Com frequência o avô me levava a percorrer a aldeia. Um dia, apontou-me o lugar do antigo povoado: aqui ficava a escola, ali a venda, acolá o posto de saúde... Súbito, parou diante de uma capoeira. Guardou-se em silêncio. Os olhos rebrilharam. Vi-o tomado pela emoção. Extravasou o sentimento: "Aqui vivia sua avó. A beleza fez morada nela e raptou meu coração. Fiquei em encantamentos. Toda ela vicejou em mim."

Vi dois longos ferros enterrados paralelos no chão. "O que é, avô?" Ele contou: trilhos da antiga ferrovia. O trem chegava ao povoado uma vez por semana. Vinha carregado de viajantes e provisões, e trazia novidades. A aldeia se sentia, então, parte do mundo. Isso quando o avô era menino. O maquinista o deixava entrar na locomotiva e acionar o apito. "Como era a locomotiva?" "Um imenso cachimbo", observou.

Tomamos o rumo das ruínas do antigo povoado. O avô me fitava com um meio sorriso e contorcia o ombro direito. Lá fomos os dois, silentes, observando a vegetação, e os avanços e recuos saltitantes de Basilea, sempre de focinho empinado em nossa direção. Caminhamos em passos comedidos para não irritar as abelhas que nos forneciam mel.

De outro ângulo eu adivinhava os resquícios do que fora o povoado: restos de entulho, pedaços de madeira e ferro, ruínas. E algo que até hoje me intriga, algo que havia ali como um enigma engessado, um desafio inalcançável às lembranças do avô: uma escada de ferro erguida do chão ao vazio. Lembrava um pescoço de girafa ressequido.

Muitas vezes passa pela minha cabeça que aquela escada talvez fosse a nossa única porta de saída da aldeia. Mas quem de nós tinha coragem de subi-la? Exceto Ubelino, que costumava pousar no degrau mais alto, nem quando criança ousei escalá-la. Permaneceu ali no mato, despontando como um estranho animal com a sua goela aberta ao céu.

Próximo ao lugar onde outrora a trilha rasgava o mato, o avô se postou imóvel. Parado ali, jogou o tempo fora. Manteve os olhos fixos; o único movimento consistiu em levar o cachimbo à boca, aspirá-lo, expirar a fumaça e descansar a mão sobre a coxa direita.

Sentiu saudades da época em que a trilha aberta servia de linha que costurava a aldeia ao mundo? Respondeu apenas: "Espero. Não alguém, um acontecimento, uma coisa. Somente espero. Aprendi com meu pai: a vida se alimenta de esperas. Quem não espera, se desespera. Não espero um futuro. Aqui o futuro não tem lugar, só o presente, sempre. Espero contra toda a esperança."

E ali permaneceu, olhos pregados no vazio, à espera.

III

VISITA

Um dia qualquer ocorreu algo inusitado. Escutamos estranhos ruídos. Não o roçar do vento na mangueira, nem o bater de asas do Ubelino ou o rosnar intrigado de Basilea quando dava de encarar um calango. Era um repicar de pequenos estrondos. Ficamos os três de olhos pregados na atenção das orelhas. Súbito, ali onde outrora havia trilha, irrompeu um homem montado em um veículo de duas rodas. O avô disse: "É ele, vem de moto." A mãe começou a soluçar. "Ele quem?", perguntei. O avô respondeu: "Seu irmão."

Estranhei aquele sujeito todo vestido de luxo. O blusão de couro brilhava chapeado de dourado. As luvas escondiam as mãos. Os óculos grandes, de aparar poeira, imprimiam ferocidade à cara dele. O capacete colorido despontava em sua cabeça e encobria-lhe os cabelos cheios.

Parou na nossa frente, desligou o motor, apoiou o veículo na perna direita e arrancou óculos e capacete. Tive a impressão de que tínhamos virado estátuas. Ficamos os três a olhá-lo perplexos, sem esboçar nenhuma reação.

"Oi, mãe, oi, vô", foi o que disse. "Oi, filho", a mãe respondeu com um fio de voz. "Quem é este?", indagou o visitante ao projetar o queixo em minha direção. "Seu irmão", disse a mãe. O avô trancou-se em silêncio, encerrado em cara de fúria e desconfiança. "Mãe, o pai manda lembranças. Vim a pedido dele. Custei a encontrar o caminho, o mato fechou. O pai quer dar vida melhor a vocês. Pergunta se querem vir pra cidade."

O avô espetou o cachimbo boca adentro. Foi como se quisesse reter ali palavras de más-vindas. O rosto agravou-se. A mãe fez esforço para falar: "Fazer o que na cidade?" "Lá a vida é melhor que aqui?", indaguei.

O irmão retrucou: "Lá a vida não é essa miséria em que vocês vivem. Lá tem água encanada, luz de fio, rua asfaltada. Tem comércio e farmácia. Tem emprego e televisão. Lá não é esse cafundó em que vocês vegetam."

O avô tirou o cachimbo da boca, cuspiu de lado e indagou: "Lá a gente é feliz?" O irmão coçou a cabeça: "Feliz? Ora, todo mundo é feliz. Tem transporte, comida boa, tudo do bom e do melhor."

"Aqui somos felizes", falou o avô. E acrescentou: "Sou do tempo em que esta aldeia era povoado. A gente vivia de felicidade incerta. Por isso veio a maldição."

"Diga a seu pai que a gente não sai daqui, não", falou a mãe. "Aqui a gente não tem quase nada, mas não carece de tudo isso que você fala. Aqui a gente não lamenta a vida. A gente fica."

O irmão me olhou fixo: "E você, não está a fim de deixar esse atraso de vida?"

"Irmão" – indaguei –, "lá faz muito ruído?" Ele riu. "Ora", reagiu, "faz todos os ruídos do mundo: de carros, de máquinas, de músicas, de construções." "E dá pra escutar o silêncio?", eu quis saber.

Ele me olhou como se mirasse um louco, virou a cara, ligou a moto, nos deu as costas no rumo da trilha. Basilea latiu nervosa em disparada atrás do veículo e Ubelino, todo pressentimentos, se refugiou assustado no alto da mangueira.

Naquela tarde, antes de escurecer, o avô apontou com o beiço o mato à nossa frente e comentou que naquela direção havia a boca de uma trilha. A trilha pela qual o pai se fora com meu irmão. O mato a comeu e apartou-nos do mundo. Contudo, o irmão lograra devassá-la com a sua moto.

O barulho do motor zoou um tempão na minha cabeça. Nem o avô nem a mãe comentaram a visita. A mãe apenas pregou os olhos na trilha, colou-os ali por dois ou três dias, perdida nos seus entretantos. Ninguém falou nada. Só três luas depois o avô murmurou: "Ele não devia ter retornado. Ainda bem que se foi. Não teve olhos pra ver."

"Sou livre?" Quantas vezes me fiz essa pergunta depois que o irmão se foi! Achava que sim, pois entendo a liberdade como liberdade de escolha. E eu escolhera permanecer na aldeia ao lado do avô e da mãe. Tivera a oportunidade de sair dali, aceitar o convite do irmão. No entanto, decidira permanecer. E não me arrependi. Convenci-me de que liberdade não se resume à locomoção ou à possibilidade de o corpo superar barreiras que o cercam ou confinam. Liberdade é, sim, poder ir e vir, sem prejuízo das pessoas que integram o nosso existir. Liberdade é, sobretudo, nutrir relações sadias. O que seria de minha liberdade se eu tivesse acompanhado o irmão e dado as costas ao avô e à mãe?

Observo aqui no hospital as monjas que cuidam dos enfermos. Vivem enclausuradas e lidam diariamente com o sofrimento humano. São mulheres livres. Escolheram estar aqui e fazer isso. São movidas pela fé, por um ideal. O meu era permanecer na aldeia em companhia do avô e da mãe que se recusaram a acompanhar o pai e o irmão.

Sinto-me livre nesta cama de hospital. Não andei pelo mundo, não visitei lugares, não me deixei mover pela curiosidade. Mas, graças à leitura, viajo – sem sair do lugar – por todos os recantos da Terra e em todas as épocas, inclusive a futura. Meu espírito e minha inteligência voam com uma liberdade que Ubelino jamais conheceu. Um prisioneiro não é livre. Não escolheu ficar retido no cárcere. A monja, sim, ainda que permaneça toda a vida encerrada em sua cela conventual. A diferença entre ela e o prisioneiro é que a monja tem o direito de optar. Traz em mãos a chave da porta.

Custei a me reaprumar após a visita do irmão. Nele nada reconheci de mim. Nem do avô, nem da mãe. Veio perturbar-nos o sossego, veio falar de um mundo que não era o nosso, veio sem olhos, ouvidos e coração para entender o nosso viver na aldeia.

Foi então que danei de tocar flauta. A flauta era de bambu. Invadi a aldeia de música por muito e muito tempo. A música brotava do fundo de mim mesmo, subia pelo peito, saía pela boca e, graças à flauta, ecoava pelos ares.

A visita do irmão quebrara a atemporalidade reinante na aldeia. A música a resgatou. Embora a melodia possua temporalidade demarcada pela sequência das notas musicais, o que ela exprime dilui o tempo e acalenta a emoção. A emoção é o baú no qual se guardam, a sete chaves, nossas mais medonhas e sublimes recordações. A música abre-o com facilidade.

Depois que o irmão se foi, a mãe rompeu seu habitual mutismo. Passou a falar a sós, mesmo de madrugada, acordada pela insônia. Pronunciava frases desconexas, entrecortadas, subvertendo toda a sintaxe. "Do meu seio... do meu seio... Sugar o quê, se o destino arrancou ele de mim?... Com quem me queixar? Ele roubou parte de mim."

De dia, passava horas debruçada na janela, os olhos postos na trilha, ensimesmada por seus fantasmas interiores. Doeu-me o peito vê-la naquele desalento. Entrei no casebre e postei-me ao seu lado. A mãe encostou levemente o seu braço no meu. Segurei-lhe a mão. Ela apertou a minha como se o chão tremesse. Parecia buscar apoio para não cair.

Súbito, começou a entoar um cântico incompreensível para mim, algo arcaico, garimpado do mais profundo de seu lá dentro. A melodia soava pobre, repetitiva. A letra derivava de uma língua que não era a nossa e que eu nunca escutara.

O canto a acalmou e, naquela noite, a mãe dormiu exorcizada de saudades e temores.

Após a visita do irmão, passei as chuvas entretido em recordar o que ele dissera. Como seria o mundo com tantos ruídos? Se trovão arrepia o silêncio e atribula o coração, como suportar outros barulhos? Até o ruído da moto, que ouvi por instantes, me incomodou.

"Avô, o que é farmácia?" Disse que era uma venda de curativos. "Lá no mundo as pessoas são doentes?" O avô explicou que, no mundo, muitas pessoas não têm bem viver, exageram na voracidade, ferem à toa o próprio espírito, olham-se no espelho do vizinho e encaram o espectro da própria inveja. Falou isso do jeito dele. As palavras eram outras.

Ali na aldeia nossas doenças eram de pouca monta: um resfriado, o corte do pé na lasca afiada de pedra, o latejar da cabeça, o desaguar vísceras dos intestinos. Das ervas vinha a nossa cura. Bastava coletá-las.

Quando eu ou a mãe se via tomado por alguma enfermidade, o avô massageava nossos pés com um emplastro feito de folhas de hortelã e raiz de gengibre. E recitava umas palavras desentendidas por mim.

Indaguei também outra coisa que o irmão falou: "Que é televisão?" O avô olhou para a mãe que olhou para mim enquanto eu olhava para o avô. Não houve resposta.

Certa noite fria, ao calor do fogo, quando indaguei se conhecera a cidade, o avô deixou escapar: "Eu e a cidade não combinamos. Ainda não atingira a sua estatura quando fui até lá, na rabeira do meu pai. Ele havia sido acometido de doença teimosa, dessas de resistir às ervas. Tive de levá-lo ao hospital. Logo que o trem se perdeu da paisagem e abriu caminho entre tantas construções quase da altura do céu, fiquei tomado de espantos ao reparar naquela barafunda. Nada havia de primordial. Perdi-me em vertigens no torvelinho assombrado."

Contou ter retornado tão logo seu pai desexistiu; temeroso de dissipar-se no redemoinho do palavrório citadino, fugiu do ritmo alucinado, e retornou à tranquilidade da aldeia. Narrou-me sua ânsia em ausentar-se desse mundo de espelhos, onde a vista, com frequência, depara-se com o próprio rosto que vê, o visto se confunde com o ver-se, o observado com o observador, como se o espelho insistisse em nos barrar a visão e nos devolvesse à mera superficialidade, impedindo-nos de penetrar nas profundezas do infindo.

Na aldeia não havia espelho. A gente se adivinhava em poças d'água. Só aqui no hospital nele me adivinhei. Espelho, ao duplicar a imagem, esgarça o espírito. Aquele outro eu não sou eu, é apenas reflexo, assim como a poça d'água capta-nos a imagem e, ao secar, não faz evaporar o nosso ser. Só desaparece o ser de quem vive convencido de que o espelho lhe retém a verdadeira imagem.

Aqui no hospital encontro, com frequência, quem não possa viver sem se buscar repetidamente no espelho, à procura de uma imagem que só existe na fantasia sequiosa. É como se quem se observa quisesse captar para si o reflexo observado.

Por que será que as pessoas insistem em se buscar no espelho? É o caso da enfermeira B. A mecha de seu cabelo preto encobre o olho direito e ela teima em mantê-la acima da testa. Ao entrar no meu quarto, B. cumprimenta-me de costas, atenta à sua imagem refletida no espelho dependurado do lado da porta. Subtraia-se o espelho do alcance dela, com certeza se sentirá como o náufrago que, sem saber nadar, acaba por desprender-se do tronco de madeira no qual se apoiava. Sem espelho perderia ela a identidade?

Aposto que, de fato, não é o próprio rosto que B. mira. É a projeção onírica de si mesma. O espelho, como talismã, desperta essa imagem fantasiosa que a leva a acreditar que é mais bela do que é, ou que o nariz pontiagudo não haverá de chamar tanta atenção se não for encarado de perfil ou que o cabelo emoldura-lhe o rosto como iluminuras de um velho texto medieval.

Outro dia surpreendi o doutor L. diante do grande espelho da sala de hemodiálise. Ajustava os óculos de lentes brancas sobre seus olhos claros e havia em seu rosto, de traços definidos, uma expressão de quem se considera melhor do que realmente é, sobretudo ao se ver de corpo inteiro. Mirava-se imbuído de agudo senso de prospecção e análise, observava-se como se fosse a outro, atento a cada detalhe da postura, da roupa, dos gestos. Olhava-se de frente, de um lado, de outro e, no esforço de contorcionismo, também de costas, revirando a cabeça para observar o próprio reverso. O espelho parecia reduzi-lo à invertebralidade.

Uma vez afastado do espelho, doutor L. mostrava uma cara de observador desencantado. Apagara-se o imaginário. O vislumbramento cessara. Possivelmente caíra naquele ponto neutral em que a pessoa nem é miragem projetada no espelho (mais encarada com a mente do que com os olhos) nem é o que a visão, voltada à subjetividade, capta do mundo interior.

O comum dos mortais, ao privar-se do olhar do espelho, se percebe desprovido de identidade e consistência. Sim, há o olhar do espelho. Porque o espelho, ali imóvel, também nos olha quando dele nos acercamos. Mira-nos com sua opacidade vítrea. Olha-nos de um modo que não podemos olhá-lo. Ninguém o encara, todos se observam nele. Ele porém devolve-nos a imagem. Como um bumerangue. A imagem retorna adornada, aprimorada, revestida por aquilo que projeta o olhar da mente. A mente mente. Ali o nosso duplo e a nossa farsa. Ao nos afastarmos do espelho, aquele outro eu idealizado fica retido no vidro, não vem conosco, não se introduz em nosso ser. Como se o espelho, ao reter e sugar o melhor de nós, caçoasse da nossa vaidade.

Como não havia espelho na aldeia, não nos ocorria a violação da identidade. Nada retinha a nossa imagem ou sugava-nos o ser. Ali, um via o outro. Eu via o avô e a mãe; o avô via a filha e a mim; a mãe via o filho e o pai. E enxergávamos os bichos que também nos enxergavam.

Ver o outro antes do que a si mesmo era o pouco de virtude que a ausência de espelhos nos propiciava.

Prefiro espelhar-me nos desvãos da alma. É no âmago do coração que encontro minha imagem real. Ela é tão profunda e consistente que não consigo apreendê-la com a mente. E me desafia a ser o que pressinto que deveria ser. Tenho a nítida impressão de que meu espelho interior guarda minha verdadeira imagem, na qual sou pálido, frágil e contraditório reflexo.

A vida é como a casa: tem o lado de fora, que pode ser visto por todos, e o de dentro, conhecido apenas por quem entra. Assim somos nós: sempre a aprimorar o lado de fora, aquele que os olhos alheios apreciam, olvidados de cuidar do de dentro, da consistência de nosso próprio estofo. A aldeia, eu sei, não tinha lado de fora; tudo ali era dentro, cabia no espaço de minhas vistas. Basilea e Ubelino, não sei, acho que bicho tem pouco lado de dentro – uma tristezazinha, um desânimo, uma alegria, a lembrança do lugar em que mora e o sentimento de vínculo com as pessoas que lhe cuidam. O resto é lado de fora.

O avô, a mãe e eu éramos mais lado de dentro que de fora. De fora, parecíamos uns pobres coitados perdidos nos aforas do mundo. De dentro, não sei bem do avô e da mãe. Sei apenas que ele, mais velho, tinha muito mais vida dentro do que a mãe e eu. Talvez por isso passasse dias e dias sem dar uma palavra, entretido com seus adentros. Não que se bastasse. Ninguém se possui. É que dentro de cada um há múltiplos, e ele, por mais velho, trazia multidão. A mãe também, tanto que, vez por outra, arrancava de dentro uma melodia e se punha a assobiar. Sinal de que naquele corpo esquelético pulsava uma alma feliz.

Nunca fui lado de fora. Nem vestimenta adequada para isso tinha. Meu quase tudo é dentro: o jeito de sentir no coração o avô e a mãe, os pensamentos esparsos que me pegam desprevenido, as ideias a me povoarem a mente, os voos da imaginação, o balbuciar das rezas, a fervura das vísceras ao sonhar com o sexo que nunca pratiquei... Meus múltiplos! Tantos que, a cada dia, me surpreendo com uma face nova. Ao fitar meu interior tenho a impressão de observar imenso aquário no qual navega um cardume de seres distintos e até contraditórios. Hoje pesco este, amanhã aquele; trago-os à superfície, e eles duram o tempo que os peixes pulmonados levam para se abastecer de oxigênio.

Aqui no hospital não me acostumo com esses cheiros de substâncias etílicas, medicamentos, esparadrapo, anestésicos, como se tudo exalasse um fluido asséptico, um aroma de desinfetante que antecede a nossa entrada no reino irrecorrível da podridão do corpo carcomido pela doença ou tragado pela morte. Vem-me a saudade do cheiro da mata, cheiro de terra úmida, de folhas verdes, cheiros perfumados trazidos pelo vento, do cachimbo do avô, da comida preparada pela mãe, de feijão com abóbora, de mandioca assada, de batata-doce, de milho cozido, cheiro da infusão de ervas de nossos chás.

Na aldeia se vivia de arte. Quando eu disse isso, madame A., a mulher que me alfabetizou no hospital, achou graça. Com certeza teve vontade de caçoar de mim. A delicadeza a conteve. Perguntou como era possível viver de arte em um lugarejo que não tinha pintura, dança, literatura, teatro, cinema e música, exceto a que sopraemanava de minha flauta ou das cantigas acanhadas de minha mãe?

Respondi que a arte deita raízes na sensibilidade do artista e do público que aprecia a sua criação. A mais harmônica melodia pode soar, aos ouvidos de um insensível, como mera sequência de ruídos desconexos. Assim como há quem, diante de uma pintura abstrata, fique a se perguntar o que o artista quis dizer com aquilo... Há um silêncio na obra de arte que nem o próprio artista consegue quebrar. Ele apenas exala o silêncio que emana de sua pena; de seus dedos no teclado do computador ou do piano; de seu pincel ou de seu cinzel; das pausas de seu canto; dos traços de seu desenho ou da leveza, quase imponderável, de seus movimentos ao bailar.

Na aldeia, a arte residia em meus olhos. Qual o artista capaz de reproduzir o progressivo esmaecer das tonalidades de um crepúsculo no céu de outono? Embevecia-me contemplar a claridade do entardecer a ganhar contornos azulados, alaranjados, prateados, até sucumbir ao negrume da noite. Glutona, a noite abocanha o dia, e o prefere na variedade de caramelos multicores.

A arte se manifestava no desenho tortuoso de um galho da mangueira, no vigor de seus nódulos, no despontar das ramas e das folhas, na fruta oblonga, como se houvesse sido colorida por um pincel de aquarela.

"Havia muita arte, sim, professora", eu disse a ela. Ela me encarou com seus olhos cor de amêndoa, intrigada. Se a arte é a virtude de transfigurar a realidade, virá-la ao avesso, e escavar todas as suas reentrâncias, isso eu fazia todas as vezes que me recostava na pedra e ficava a observar o entorno. O reflexo do sol na panela de ferro à janela da cozinha fazia-me deleitar fulgurações argentinas. O voo de Ubelino riscava no céu uma linha convexa que parecia indicar ao arco-íris o seu trajeto. Um amontoado de folhas secas sob a mangueira se assemelhava a um raro tapete tecido pelo toque do vento.

Arte é decodificar o real. É realçar a beleza do trivial. Ou melhor, a beleza está contida em tudo, faltam olhos para percebê-la. O avô sentado à porta de nosso casebre fumando cachimbo é uma foto indelével. A lenha empilhada do lado de fora da cozinha parecia um arranjo de apreciável estética. Quantas admiráveis instalações na palha do milho presa ao varal ou no canteiro refolhudo de couves! E qual o pintor capaz de reproduzir o jogo de luzes e sombras que a inclinação do sol projetava entre a vegetação no solo da aldeia, despertando em mim uma volúpia sobrenatural?

Arrastado pelo tempo, eu pintava a aldeia com os olhos. Saboreava a estética do silêncio. O olhar, quando aquietado de precisões e ancorado na sensibilidade, transmuta a realidade. Ao mirar o vale seco, eu o imaginava verdejante; a ranhura onde outrora corria o rio, eu o adivinhava caudaloso. E via o curso d'água piscoso; a fartura de frutas; os animais silvestres... A mangueira se multiplicava em uma fieira de árvores, a floresta despontava, a passarada afinava-se em coro alado. Divertia-me com o único recurso que sacia o desejo e é dado à completude humana: a imaginação. Graças a ela, o feio se faz bonito; o baixo, alto; o gordo, magro; o quadrado, redondo; o fracasso, sucesso; a derrota, vitória; o presente, futuro. Graças a ela e à memória, agora retorno à aldeia e descubro ali detalhes que antes me escapavam. Agora sei que a lembrança é foto; a imaginação, cinema. Através da imaginação, a linguagem inventa universos paralelos.

Ao refluir o excitamento da visão vinha-me a pergunta: por que o povoado se resumira em mísera aldeia? Nem mesmo merecia esse nome. Aquele lugar desbordara do mundo. O avô explicava por que era assim. Contudo, a explicação não me bastava. Era lógica, e não há lógica nos estranhamentos da vida. No entanto, o avô, a mãe e eu tínhamos ali raízes. E dos pés jamais se arranca o chão.

Embora eu viva hoje fora da aldeia, a aldeia se abriga em mim. Há pessoas, lugares, situações que, uma vez conhecidos, se entrelaçam definitivamente ao nosso ser. Ainda que a memória se esforce por relegá-los ao passado, eles se abrigam lá onde o tempo se dilui em onissapiência. Basta tocar de leve a mais tênue corda da emoção e o que se julgava passado e olvidado se faz presente – odiado ou amado. Não se pode renegar o que se foi. Esta é uma lei absoluta, lei que marca a nossa existência. Ainda que eu abomine atitudes pretéritas, arrependa-me de práticas e omissões, guarde ódio visceral a determinados semelhantes, tudo isso são marcas profundas deixadas na tela da alma. Impossível remover os tijolos podres entremeados à argamassa de que somos feitos. Estamos irremediavelmente condenados a colher o que plantamos.

Havia ali noites intermináveis. Noites em que eu escutava o rugir de animais, o marulho das águas de um rio, um vozerio de crianças. Fora do casebre, a escuridão guardava uma efervescência intrigante. Mil ruídos se confundiam entrecortados por uma música estridente. Ou era tudo alucinação? Nunca terei a resposta. Restam-me as dúvidas: de onde vinham aquelas vozes se não tínhamos vizinhos? E a música? Fora o cantarolar da mãe, a minha flauta e a passarada a acordar a aurora, não havia por ali nenhuma outra fonte melódica.

A noite guarda seus mistérios. Transpira nela tão poderosa magia que invariavelmente nos seduz. Só escapam aqueles que adormecem ao crepúsculo, antes que a noite invada todos os meandros do espaço. Muitas vezes, acometido de insônia, eu ficava do lado de fora do casebre, tentando adivinhar ruídos e fulgurações. Respirar a noite me inebriava, como certos medicamentos que me obrigam a ingerir aqui no hospital e exercem sobre mim o poder de deslocar-me do eixo vital. Sinto-me então arrastado por um redemoinho.

Por que a noite suscita certo temor? Por nos cegar? A noite tem vida própria, como se emergissem das entranhas da terra outros seres que desconhecemos e, no entanto, se fazem presentes pelos ruídos que provocam. Esses sons desconexos, ora fortes, ora sutis, escapam inteiramente ao nosso controle e nos acuam em nossa fragilidade. Esses sons quebram a fronteira entre o aquém e o além. Nunca são daqui; são de lá, de lá onde se esconde o mistério, o indecifrável, o que a nossa imaginação projeta e tenta, fracassadamente, racionalizar, como se a razão fosse o antídoto do medo.

Certo alvorecer, indaguei do avô se também escutava os mesmos ruídos. Respondeu que sim; e que não me preocupasse, eram apenas ecos do que a aldeia fora no passado. "A natureza nunca morre", afirmou, "ainda que destruída, deixa espíritos voejando pelos ares." "Não seriam sonhos, avô?" Ele arqueou as sobrancelhas e disse: "Tudo é um, filho. O que há dentro da nossa cabeça, há também fora. Sonho é apenas a realidade desacordada."

Terminada a janta, perguntei o que nos acontece ao morrer. O avô fitou-me de soslaio e continuou a picar fumo na ponta da mesa. Apenas arranhou a garganta com um ruído rascante. A mãe dobrou as mãos no avental, aproximou-se da janela, mirou o céu estrelado e voltou-se para mim: "Nem sei se nascemos, filho. Deus apenas se descuidou ao nos jogar nesse desmundo. E aqui nos esqueceu. O que posso saber do além? Nem sei do norte que seu pai e seu irmão abraçaram. A morada dos mortos não deve ser muito diferente disso aqui. O corpo vira pó, mas o espírito vaga eterno até virar estrela. Quem sabe lá de cima aqueles que consideramos mortos estão vivos, olham pra baixo e enxergam em nós algum brilho?"

O avô ergueu a cabeça e me fitou. Trazia as duas mãos suspensas; na direita, o canivete; na esquerda, o fumo. Apenas sussurrou: "A morte é a palavra final do silêncio." E voltou à sua ocupação.

Fiz outra pergunta: "Somos pobres?" A mãe disse que ali não havia o suficiente; contudo, não faltava o necessário. Por isso a precisão não abria lugar ao desejo.

Ao avistar o mato engolir uma cobra na direção da antiga trilha, a mãe contou ter ouvido falar: a serpente havia sido o primeiro animal criado por Deus. E acrescentou: "Através da serpente o pecado adentrara o mundo."

"Pecado? O que é?" A mãe não sabia. Sabia apenas tratar-se de coisa ruim. O avô agarrou o assunto pela ponta e declarou que pecado é a maldade que se faz aos outros pelo bem da bondade só de si mesmo. Então decidimos que pecado não existia, ao menos ali na aldeia, embora houvesse serpentes.

Muito tempo depois o avô comentou: "De ruim, filho, existe é injustiça."

E mais não falou.

IV

PALAVRA

Cheguei analfabeto a este hospital. Uma senhora de esmerada cultura, madame A., certa manhã se apresentou junto ao meu leito acompanhada pela irmã G. Trazia os cabelos anelados alvos como algodão; os olhos castanho-claros tinham brilho acentuado. O rosto oval, diminuto para a sua garbosa estatura, cobria-se de pele leitosa. Os gestos, incisivos, destoavam do tom delicado da voz quase inaudível.

Havia altivez no seu porte e no modo de falar. A vida diplomática lhe incutira elegância no modo de proceder, ponderação na voz e vivacidade nos olhos, como se nada a pudesse distrair da atenção prestada ao interlocutor.

Contou que enviuvara de um alto funcionário da ONU há mais de uma década. Restou-lhe a filha adolescente que, abatida por um câncer, faleceu neste hospital.

(A mãe, ano passado, se uniu à filha e ao marido na outra margem da vida.)

No decorrer da internação da filha, madame A. decidiu dedicar-se ao trabalho voluntário em prol dos pacientes. Improvisou uma biblioteca junto à capela, abastecida com obras trazidas de sua casa; no setor de pediatria, lia histórias para as crianças.

Madame A. estudara literatura na Universidade de Yale, nos Estados Unidos. Tinha sido aluna de um professor cujo nome anotei – Erich Auerbach. Considerava crime de lesa-humanidade um adulto analfabeto. Por isso se empenhou em iniciar-me nas letras e incutir em mim o gosto pela leitura. Mais que gosto, vício. Descobri, prazerosamente, que ler é uma forma silenciosa de diálogo. Toda obra é incompleta, e somente na consciência do leitor alcança plenitude. Trata-se, sublinhava ela com uma ponta de ironia, de uma verdadeira *ménage à trois* – autor, texto e leitor.

Madame A. despertou em mim o assombro frente à arte de ler e escrever. Desde as primeiras lições, lia para mim autores clássicos e me ensinava a recorrer ao dicionário. Creio que experimentava certa volúpia nisso. Ressoava em meus ouvidos uma fonética do erotismo. E não me foi difícil entender por que ela se sentia tão seduzida pelas palavras. Eu mesmo, ao escutar a narrativa, percebia todas as minhas emoções aflorarem, como se o texto tecesse um tecido em volta de mim para alçar-me ao reino encantado do imaginário.

Passei a desenvolver uma relação fetichista com a leitura, a haurir prazer de certas frases, deixar-me enlevar pelo ritmo da pontuação, sentir a força infinitiva dos verbos e o doce som de metáforas e metonímias.

Ilhado no livro, aprendi a empreender viagens ilógicas aos conceitos de tempo e espaço, e a conviver com múltiplos personagens, cujas intimidades me são dadas conhecer.

Os livros aprimoram a minha sensibilidade e me aproximam da magia que há na vida e no Universo, magia esta que não pode ser vista a olho nu. Os óculos pelos quais apreendemos todo o seu esplendor é a linguagem. Ela descreve e, por vezes, desvela a magia da sala de visitas onde Conceição e Nogueira se encontram na noite de Natal; do único dia na vida de Leopold Bloom; da trivial tarefa do marido que, na cozinha, limpa peixes ao lado da mulher.

Na aldeia, eu não sabia ler nem escrever. Agora, graças à dedicação de madame A., a leitura me permite um diálogo silencioso com autores e personagens. E, de certa maneira, prossigo no exercício iniciado ao encontrar, nas ruínas do povoado, o caderno com páginas em branco. Leio nas entrelinhas dos textos, nos espaços entre vocábulos e frases, parágrafos e páginas. Minha imaginação é despertada pela narrativa e meu pensamento se adensa.

Muitas vezes, atiçado por uma emoção ou por uma ideia, suspendo a leitura para ruminar o impacto provocado em mim. É como se o autor tivesse escrito aquela página ou parágrafo não para a infinidade de leitores anônimos, mas especialmente para mim. O texto se reescreve em mim. Interrompo a leitura e ergo a cabeça. Como quem leva um susto, preciso respirar, tomar fôlego, fixar a atenção em uma frase ou período. Tamanha é a empatia entre o que leio e o que sinto, que grifo a frase como forma de me apropriar dela, torná-la perene em minha memória. Não consigo dar imediato prosseguimento à leitura. Seria como ficar indiferente a quem me faz uma interpelação. Ali, naquele oásis, minha viagem literária faz pausa para se dessedentar. Quebro o monólogo da narrativa e estabeleço um diálogo. Deixo fluir tudo aquilo que o texto desperta em mim.

O mesmo não ocorre quando escrevo. Às vezes tomo este caderno em mãos e o que intenciono registrar brota com facilidade. Acontece, em outras ocasiões, me sentir paralisado; fico com a caneta em punho sem conseguir redigir uma única palavra. A mão parece congelada. O silêncio da escrita impõe-se como imenso deserto árido a ser atravessado. Nenhuma ideia, nenhuma emoção, nenhuma palavra que possa procriar e proliferar-se em textos. Imagino quantos escritores não experimentam essa mudez diante do papel ou da tela do computador, sobretudo aqueles que não escrevem com a cabeça, como quem raciocina, e sim com a pele, como quem sangra.

Tivesse eu permanecido na aldeia e fosse ali alfabetizado, não teria, certamente, necessidade de escrever. A escrita se me faz imprescindível aqui no hospital, para que eu possa organizar meu caos interior e tentar recuperar o silêncio de que desfrutei ao longo de tantos anos. O infortúnio ocorrido ao avô, à mãe, à Basilea e ao Ubelino, somado às agruras que sofri na cidade, devassaram meu universo interior. Minha memória dói. Foi profanada por uma sequência de episódios degradantes que nela se acumulam. Daí a importância deste relato. Preciso exorcizar tantos demônios e fantasmas que assaltam minha subjetividade. E outro modo não encontro de fazê-lo senão pela escrita. Sou um paciente medieval cuja cura depende de extirpar as palavras que me povoam. Sem isso não me alivio nem encontro conforto.

Minha mente quase sempre é surpreendida por aquilo que a mão escreve. Nesse mar revolto, cujas águas abrigam intuições, informações e lembranças, a mente é o farol, enquanto a mão, segura ao remo da caneta, faz avançar o barco semântico. *La nave va.*

Escrever é multiplicar-se. O papel em branco, bandeira de paz, apazigua; preenchido, vira espelho, suga a alma, transforma-se em explosivo, sequestra-nos a identidade. Uma vez pousados nele nossos sentimentos, ideias, inquietações ou o que vai pela mente... já não têm retorno, ainda que se possa rasgá-lo, queimá-lo, atirá-lo ao lixo antes de ser lido por alguém.

A escrita me reescreve, como a foto fixa a imagem em movimento. Ninguém é o mesmo após deixar-se tecer pelas palavras. A diferença é que as palavras tecem fios nos quais nos enredamos. Uma vez ditas ou escritas são como armadilhas das quais é impossível escapar. Formam teias de uma aranha que se esconde de nosso ângulo de visão e nas quais sucumbimos inexoravelmente.

Escrever e ler: rituais silenciosos. No silêncio da leitura mergulho em secreta e completa devassidão. Ainda que alguém me veja lendo, jamais enxergará a promiscuidade com que me misturo aos personagens, as fantasias suscitadas pelas histórias, os prazeres suspeitos que uma descrição provoca, meus medos inconfessados, invejas que oculto no íntimo, minha preferência por personagens que outros abominariam ou meu ódio a outras alvos da admiração de leitores.

Essa sintonia entre o silêncio do texto e o silêncio que há em mim provoca o deslumbramento pela leitura. O texto invade um território que eu mesmo ignorava portar, e muito menos tinha noção de como ele é vasto e misterioso, densa floresta que revela, a cada passo do explorador, novas e surpreendentes singularidades.

Essa relação dialógica não esgota meus amplos espaços silenciosos, muitas vezes perturbados por vozes de estranhamentos. Não me refiro às múltiplas assombrações interiores que insistem em se fazer ouvir, como crianças em algazarra à saída da escola. Todos carregamos no avesso essa multidão que nos atordoa: inquietações, lembranças malditas, saudades benfazejas, frustrações camufladas, desejos indefinidos. Contudo, além desse átrio repleto de fantasmas, sobreviventes de uma babel indestrutível, além do que a nossa própria consciência é capaz de alcançar, há uma zona de silêncio da qual raramente nos damos conta. Lá reside o nosso verdadeiro eu. E por mais paradoxal que possa parecer, nós o tememos. Temos medo, muito medo, de ser o que somos.

O avô me ensinou isto que, agora, meu entendimento alcança melhor: sou plural; há em mim uma multidão. A liberdade consiste em escolher um entre tantos. Não posso ser todos. Posso ser eu e, por vezes, o eu que posso ser é um outro; um outro que não corresponde ao meu verdadeiro eu, que me rouba de mim mesmo, como se mascarasse a minha alma e me fizesse acreditar que a fantasia é real. Quando acossado por esse estranhamento não me sinto feliz. A felicidade consiste em driblar o que há de farsa na projeção da mente, viver o eu que mais corresponde a meus propósitos e intenções. E saber desdobrar esse eu como quem abre uma cebola até que aflore o seu âmago.

Nesses anos todos relutei quanto à decisão de descrever neste caderno minha trajetória de vida. Fui convencido a fazê-lo graças aos autores que leio. Porém, ao contrário deles, não alimento a pretensão de escrever um livro, nem mesmo um diário. Não escrevo para ser lido, e sim para dialogar comigo mesmo. Leio autores que escrevem para seduzir leitores, quiçá obter fama e fortuna, autores criativos, cuja imaginação parece inesgotável. Há também autores aborrecidos, enfadonhos, que me cansam com suas hipérboles e grotescas metáforas. São como as flores de plástico enfiadas em vasos de areia que vejo pelos corredores do hospital.

Muito comum circularem aqui no hospital livros terapêuticos, do gênero autoajuda. A enfermeira B. cuida de distribuí-los entre os pacientes. Vez ou outra tomo um emprestado, no intuito de repousar minha cabeça de leituras mais consistentes. Este tipo de literatura é curiosamente impregnado de um otimismo que contamina leitores desprevenidos. Seus autores dominam técnicas de autocura, caminhos para obter sucesso, receitas para ser feliz no amor. Talvez haja entre esses autores pessoas depressivas, alcoólatras, violentas, homens e mulheres infelizes no casamento e fracassados em atividades profissionais que abraçaram antes de decidirem escrever. Por isso arriscam-se elaborando textos que, se não reforçam neles a autoconfiança, ao menos lhes trazem algum dinheiro e a satisfação de verem seus nomes estampados em capas de livros.

Escrever é desenhar a imaginação em letras. Entre o modelo e a figura nunca se obtém precisão. "A imaginação é a louca da casa", dizia Tereza de Ávila, tem vida própria, ironiza nossos escrúpulos, atiça nossas culpas, reabre a ferida de nossos remorsos. É como um ninho do qual alça voo a passarada desta mesma espécie – fantasia –, embora variem em cores, formas e arrulhos. O pensamento é a gramática da imaginação, o esforço de discipliná-la, fazendo com que ganhe expressão e consistência. Porém, ela nunca se deixa enlaçar. Extrapola ideias e raciocínios, e nos transporta virtualmente para outros mundos. Se soubermos conduzi-la, torna-se criativa. Caso contrário, arrasta-nos a uma viagem incessante, viagem que pode ter o esplendor onírico das evocações deleitosas ou o amargor de frustrações derivadas de uma fantasia que suscita desejos e ambições além de nossas forças e capacidades.

A imaginação alcança territórios situados muito além de nossos passos. Ilimitada, incute nos ingênuos e pretensiosos a impressão de que também eles podem ir até onde ela vai. Suscita ícaros, que acabam derrotados, tombados ao lado de suas asas quebradas.

Madame A. me ensinou que antes de alguma coisa ser dita, havia o silêncio da gravidez cósmica. O incriado revestia-se de solene mudez. Pairava na raiz dos primórdios a palavra impronunciável, dessubstancializada, desadjetivada, verbo indeclinável.

"O mundo foi criado por ter sido proferido", disse ela. Houve um primeiro dia em que o impronunciável se soletrou. E a palavra, feita verbo, dilatou espaços e traçou a linha do tempo. "Em nós" – acrescentou irmã G. ao escutar a alfabetizadora – "o verbo se fez carne."

Escrevi isto no exercício que madame A. me aplicou: "E a palavra se fez verbo." Ela completou: "O tempo irrompeu conjugável em presente, passado e futuro. E tudo ecoou – e ainda ecoa – por um espaço infindo. Uma nova gramática instaurou-se: a história. Como um rio cuja força das águas abre sulcos na superfície da terra."

"E Deus disse...", proclama a Bíblia no primeiro parágrafo. Não houvesse dito, nonada. O caos não se teria feito cosmo, o vácuo quântico perduraria inconsistente, a indeterminação impediria a sopa sideral de adquirir solidez, a alquimia imponderável de gases e fluidos não resultaria em vida.

Da palavra divina resultou o Universo e tudo que nele existe. Tivesse Deus se preservado em silêncio eterno, estaria condenado ao solipsismo trinitário. E perduraria, por toda a eternidade, resguardado em seu anonimato. Porém, ao manifestar-se em palavra, o verbo se descongelou do infinitivo e conjugou-se no tempo. O ser deixou de ser tão somente *é* para se tornar também *era* e *serei*. "A palavra criou história", disse madame A.

Gostei do que ouvi mas nada comentei, uma vez que o silêncio antecede e sucede a palavra. É a matriz da palavra. Toda palavra cessa no silêncio, embora nem toda palavra *quebre* o silêncio. Certas palavras o adensam. Daí a minha dúvida se deveria ou não registrar no papel o que significa viver tantos anos com tão poucas palavras. (Refiro-me às palavras ditas, porque as não ditas flutuam pelo inconsciente como óvulos à espera de serem fecundados). Se o faço é por mim mesmo, não para que outros leiam. Porque só agora tenho olhos para ver, oportunidade de mirar atrás e descrever o que vivi. De algum modo resgato minhas raízes, domestico anjos e demônios que me povoam e protejo o silêncio dentro de mim. Recolho as palavras. Recolho-me nas palavras. Empalavrado, calo-me.

Tinha época em que não se ouvia uma só palavra na aldeia. O avô calado, a mãe silenciosa, eu mudo. Não havia o que dizer. E se havia, melhor guardar silêncio que desperdiçar palavras.

Ali, onde faltava quase tudo, qualquer coisa se fazia preciosa – um galho seco no chão servia de lenha; a semente trazida por um pássaro; um pedaço de ferro retorcido encontrado lá onde houvera povoado. Também as palavras se faziam preciosas. Havia que preservá-las no pensamento e no coração. Deixá-las decantar, amadurecer, entranhar-se nos sentimentos e na razão para, só depois, pronunciá-las.

O avô dizia que as palavras são aves cujos ninhos se encontram alojados no mais profundo de nós. Crescidas as asas, rompem o ovo e voam sem retorno. Levam consigo um naco do nosso ser. Mergulham na fatalidade e desaprendem o caminho de volta. E advertia: "Cuidado, filho. As palavras nos despedaçam."

Ele, sim, sabia se calar sem fechar o coração.

Ensinou-me que há três tipos de silêncio: das palavras, dos desejos, dos pensamentos. O das palavras se alcança pelo hábito de calar a boca, jejuar a língua, recolher a voz à aquietação da mudez. O dos desejos, pelo desapego, a descuriosidade, o refluir dos apetites. O dos pensamentos, pelo recolher-se à própria alma, esquecido de si e do mundo.

Às vezes em mim se quebrava o silêncio ao irromper uma palavra boa, dessas que embalam o coração. Um dia me veio *afago*. Depois de brotar em meus profundos, cuidei de aninhá-la, impedi-la de chegar à boca e escorregar na língua, perdendo-se pela fala inócua.

Se a palavra subia do pressentir à mente, eu me afixava nela e a degustava, assim como Basilea se esfregava na poça deixada pela chuva. Se a palavra me coçava a língua, eu ficava a ruminá-la cuidadosamente. Aprisionada entre os dentes, impedi-a de se expressar. Sobretudo em se tratando de palavra ácida, dessas que abrem feridas nos sentimentos.

Já havia passado o tempo da friagem e o cáctus dava flor quando rompi o silêncio durante o repasto e falei: "Maravilha." Nem sei como a palavra me escapuliu. O avô desentortou o pescoço e ergueu a cabeça, como se à procura do inusitado; tive a impressão de ter ele esboçado um sorriso tímido. A mãe dilatou os olhos, mirou janela afora, como se buscasse além algo correspondente à palavra. "Maravilha, maravilha", repeti movido pelo transe que o vocábulo me incutira.

Não sabia o significado. Era apenas uma palavra. Como tantas outras, emergira de minhas entranhas.

"Sabe que coisa é *maravilha*?", perguntei ao avô. Ele manteve a cabeça baixa, ocupado em mastigar. Muito depois retrucou: "É mulher de *bonito*, irmã de *beleza*."

Então a palavra proferida resplandeceu pela cozinha do casebre, como se eu tivesse aberto um vidro de perfume. Tudo se impregnou de *maravilha*: o barro seco das paredes, as taquaras das junções, a madeira das janelas e da porta. Tudo se maravilhou. Senti por dentro grande alívio. Havia gestado uma palavra boa. Fiquei a observar como *maravilha* pairava naquele recinto que, até então, não me parecia tão acolhedor.

Atrelei-me à prudência. Uma palavra igual àquela é como orquídea, bela e rara. Quando encontrada, há que cuidá-la.

Na aldeia, o silêncio era regra; a palavra, exceção. Dedicava-me, ali, a garimpar palavras. Não era fácil encontrar um vocábulo substancialmente consistente. E ao acontecer, havia que lapidá-lo. Uma palavra em estado bruto tem a serventia de uma comunicação corriqueira. Lapidada, resplandece. E quando bem incrustada na joia discursiva, brilha, faz-se literatura.

Passei a colecionar palavras, tamanha a preciosidade encerrada nelas. Cada vez que me brotava um vocábulo novo, eu cuidava de guardá-lo, ainda que não soubesse o significado, como quem aprecia um pássaro sem identificar-lhe a espécie. Não me foi difícil descobrir que as palavras almejam o infinito, encerram um desejo insaciável, são concebidas no espanto frente ao real e desembocam no inefável. Desnudado de palavras, o pensar não existiria e o humano soçobraria no atavismo da animalidade. Por isso o ódio não fala, e sim urra, vocifera, destituído de razão e sensatez como os caras que me torturaram na delegacia.

Em certa época fiquei sem falar até que o tempo das flores fosse sucedido pelo calor, e este pelas chuvas que encharcavam a aldeia. Ao vir a estiagem outra palavra seduziu-me, uma palavra forte, um verbo, palavra ativa, capaz de abranger passado, presente e futuro: criar.

A mãe explicou se tratar de uma palavra divina. Deus criara o mundo; tudo que existia se resumia em criação e Criador. Indaguei se aquele nosso ermo também fora criado por Deus. O avô achava que não; Deus criara o mundo e, acima, o céu; abaixo, o diabo instalara o inferno. A aldeia, no seu pensar, surgira do acaso, ato falho da natureza, limbo.

"Por que ato falho?", reagi. O avô replicou que ali não passava o progresso, ali não se vislumbrava o futuro, ali não havia história, só memória, memória de um povoado cujos fragmentos se misturavam em sua cabeça. "E de que adianta lembrar o que isso aqui foi um dia?", lamentou. Ali restara ele e a filha casada com o filho de um vizinho. Depois veio o irmão. Ele e o pai partiram quando nasci.

Fora umas poucas palavras, avô, mãe e eu só abríamos a boca para comer angu cozido, mandioca amolecida na água quente, um punhado do feijão que brotava em uma banda da aldeia. E mangas ofertadas pela árvore em cuja sombra se aninhava o nosso casebre. Comíamos com muita reverência e silêncio. O avô nada dizia, dobrava a cabeça sobre a cuia de coco que nos servia de prato, ensimesmado em sua velhice eterna. A mãe dividia os olhares furtivos entre mim e ele, conferindo as rações. Ao julgar exíguo o que nos servira, repassava-nos um talo de verdura ou uma batata cozida.

A comida, pouca, a mãe temperava com afeto. Vinha à mesa o que brotava de nosso chão. O feijão quase cor de sangue, miúdo, bailava excitado na fervura do tacho, como a querer livrar-se daquela quentura. Nele a mãe mergulhava pedaços de abóbora despida de sementes, até a infusão abrandá-los.

Na aldeia, atitudes silenciosas falavam mais que palavras. Nossas palavras eram assediadas pelo silêncio.

Prescindíamos das vozes que ferem o silêncio e escutávamos nossas próprias emoções. Adivinhava-se pelo olhar, um sussurro, um meneio de cabeça, um dar de ombros. Para que desperdiçar o dizer se o importante é o fazer? À mesa, à hora das refeições, as palavras escasseavam, exceto quando se tratava de o avô pedir para eu ou a mãe lhe passar a bilha d'água, ou a mãe indagar-me se dera de comer a Basileia, ou eu elogiar o tempero do ora-pro-nóbis. Tudo muito breve, o suficiente para não arranhar a linha de silêncio estendida entre nós.

Foi o avô que me ensinou a linguagem dos olhos. Fez-me entender que não se fala apenas pela voz e pela escrita. O corpo fala. Tudo fala: o jeito de vestir, os gestos, a postura, a inclinação dos ombros, o modo de andar. Basta saber ler. Impossível silenciar o corpo. Há, em relação a ele, permanente escuta: a da respiração. O corpo só silencia na morte. A vida culmina no silêncio. Fora disso, há sempre a consciência de que somos um corpo. Ainda que a mente se abstraia dele, essa abstração se dá dentro do corpo. E a fala do corpo é sempre um discurso que oscila entre o prazer e a dor.

Falam também a vegetação, ora calcinada pelo sol, ora exuberada pela chuva; o formato das nuvens, o uivar do vento, o estampido dos raios, o gorjeio dos pássaros na manhã de céu límpido, benfazejo.

Li em algum lugar, em um dos tantos livros que devoro compulsivamente, que o ser humano é um nó de relações. Isso se verifica quando alguém fica preso sozinho no elevador escuro, parado por falta de energia. Imediatamente a pessoa solitária passa a evocar suas relações. Ela sente falta do outro, não de um outro específico, mas um outro que a liberte daquele limbo. E quanto mais pensa no outro ou em outros, mais se torna consciente da própria solidão.

O modo de cada um se comunicar com os outros varia de pessoa a pessoa. E de circunstância em circunstância. Esse nó de relações que a vida de cada um de nós encerra vai da comunicação mais íntima, como a que eu tinha com a mãe e o avô, às formalidades cerimoniosas, como agora tenho com os médicos. Contudo, o silêncio exige desatar o nó. Só quem consegue chega a se relacionar consigo mesmo. Com o próximo, com os demais, a relação não é tão difícil, pois obedece às regras do jogo da sociabilidade. Mas relacionar-se consigo mesmo não é nada fácil.

Voltemos ao homem solitário no elevador escuro. Ele não tem a menor possibilidade de se comunicar com o lado de fora nem ideia de quando a energia será restaurada para que possa sair dali. Então inicia um diálogo com seu nó de relações: evocações, lembranças, sentimentos vagos e confusos, até que, devido à demora em sair dali, se sente incomodado com o ócio da própria subjetividade. Teme a solidão. E esse temor só seria evitado se ele fosse capaz de desatar o nó, abstrair-se de suas relações e mergulhar no vácuo do próprio espírito. Se o conseguisse, lamentaria que a energia retornasse tão depressa, ainda que demorasse várias horas...

O avô disse não ser rara a comunicação entre pessoas além das palavras. É verdade que nem sempre escutamos com justeza o que julgamos que o outro fala sem nada dizer. "Todo juízo é afoito", advertiu o avô. Por isso é aconselhável suspendê-lo, não permitir que a minha visão do outro impere sobre a própria pessoa. Ninguém é redutível a um conceito e, muito menos, a um adjetivo. No entanto, como é difícil evitá-los. Dessa redutibilidade nascem os preconceitos. Estes não retratam o outro, apenas refletem o meu juízo equivocado a respeito dele. Se careço de suficiente liberdade de espírito, acabo moldando em meu juízo um leque de esquemas nos quais enquadro as pessoas segundo impressões superficiais. Preconceito é espelhar-se no outro e encarar com horror a si próprio temendo ser o que o outro é.

Foi o contrário o que o avô comprovou com a silenciosa empatia entre mim e ele. Nada proferia nem discorria sobre os vínculos que nos uniam. Apenas deixava transparecer.

"Na gente falam sobretudo os olhos", dizia o avô. Eles traduzem o estado da alma. São a luz do coração. Se este está triste, os olhos ensombrecem, o olhar reflui, as lágrimas afloram. Se há raiva, os olhos se sobressaltam, adquirem consistência de fúria, como se congelassem. Se há alegria, se dilatam, impregnam-se de vivo brilho, parecem saltitar no fundo das pálpebras. Se o coração transborda de amor, tomam uma cor luzidia, diáfana, como fontes cujas águas refletem a paz de saciedade.

O avô me advertiu: "A boca trai o coração; os olhos jamais."

Era intensa a comunicação entre os cinco seres ali perdidos, embora quase desprovida de palavras. Basilea balançava o rabo em círculos para pedir comida. Nem sequer latia. O avô, ao anoitecer, ao caminhar com o dorso curvado para o catre em que dormia, nos avisava ser hora de apagar o candeeiro alimentado com óleo de mamona. A mãe, junto ao fogão, movia o queixo na direção da porta. O bastante para eu me dar conta da precisão de lenha.

Uma vez indaguei do avô o que significa a palavra *silêncio*. Nada respondeu. A mãe também se manteve calada. Só aqui no hospital descobri o quanto essa palavra é apropriada ao significado. Saboreio a repetição de suas sibilantes surdas – si... ci –, a tônica anasalada e o ditongo crescente. Palavra que encerra som e não som; palavra ausência de palavra. Mesmo ao escrever, o silêncio se faz presente no espaço que separa vocábulos, sílabas e letras. São os poros da linguagem por onde a liberdade respira.

Alfabetizado, descobri que as palavras também se tecem de silêncio. Basta separar as consoantes das vogais. As primeiras quedam irremediavelmente mudas. De todas as letras do alfabeto, apenas cinco produzem sons. Assim mesmo são, em si, silenciosas.

Há miniespaços de silêncio entre as sílabas, entre os vocábulos, entre os períodos e as orações, e no próprio significado do que se escreve ou lê. Também saboreio – no sentido do saber recheado de sabor – o silêncio que há entre as palavras, silêncio sinalizado nos espaços em branco que as distanciam e permitem que cada uma, singular, forme uma harmonia no conjunto.

Seria o silêncio ausência de som? Na aldeia havia a harmonia de sons emitidos pela natureza – o flautar do vento, o despencar do galho, o latir de Basilea, o chilrear dos pássaros... Sons que em nada incomodavam, assim como a cor da parede deste quarto não atrai minha atenção.

Aqui os sons são de outra ordem, próprios de um hospital. Porém, ainda que houvesse plena ausência de sons exteriores, perdurariam os interiores. Estes, sim, incomodam. Desviam a atenção, atiçam a preocupação, aguçam apetites, machucam sentimentos, geram inquietação, medo, angústia e ansiedade.

Silenciar a mente e o coração não consiste em suprimir os sons da subjetividade, e sim harmonizá-los, fazê-los confluir na mesma direção, assim como os diferentes instrumentos de uma orquestra produzem suave melodia. Aos poucos, o som da melodia interior se reduz, a orquestra se dissipa no horizonte da nossa atenção e a luz se apaga, engolindo na escuridão todas as imagens. Então o silêncio povoa-nos por dentro. Como se o nosso universo pessoal, à semelhança do cósmico, se contraísse regressivamente, até voltar a ser a diminuta partícula que deu origem ao *Big Bang*. Tudo reflui em nós, a ponto de o nosso corpo se tornar imperceptível à mente. Emigrados da confusão, mergulhamos na fusão. Tudo se torna um. Experimentamos, apaziguados, a ruptura dos limites entre o dentro e o fora, o imanente e o transcendente, o temporário e o eterno. É o silêncio condensado em infinitude.

Por que insistir em tentar enfiar as palavras onde não cabem? Há que saber respeitá-las, observar as pausas de silêncio que existem entre elas, deixar que se enamorem umas das outras. Feitas de muitas consoantes e poucas vogais, as palavras são, em si, quase impronunciáveis. Resguardam-se na mudez que deveríamos saber respeitar.

Elas exigem proporção e oportunidade. São como obras de arte que não se pode dependurar em qualquer parede da casa. Cada uma deve encontrar o lugar adequado. Melhor silenciá-las quando não brotam do mais profundo de si. Deixar que se preservem, como um bom vinho guardado para a ocasião propícia. Evitar o risco de serem expostas banalmente, de se prostituírem em troca de afetos e bajulações, de se corromperem por adjetivações vulgares.

O que dizer, por exemplo, a um pai que enterra o filho criança? Certamente o abraço solidário e a cumplicidade na dor incomensurável falam mais alto do que qualquer proselitismo convencional. Dizer o que diante da bola de fogo do sol se afundando atrás da linha do horizonte? Nada. Apenas desfrutar o espetáculo silencioso do crepúsculo.

Há momentos em que as palavras são invasivas. Atropelam gestos, quebram encantos, distorcem pensamentos, camuflam a realidade. Por isso as mais espiritualizadas liturgias são feitas de cautelosos rituais e poucas palavras. Enchem os olhos, incensam o olfato, plenificam o coração com cânticos sacros. Jamais ferem os ouvidos com perorações que excitam a razão e obscurecem a fé, impedindo-a de se elevar. Daqui do meu leito ouço as monjas do hospital entoarem, na capela, o canto gregoriano monofônico, suave, monódico, apenas para enternecer o coração de Deus.

Equivoca-se quem julga que os significados são óbvios. Não basta ser alfabetizado para compreender as palavras. Como peixes no mar ou no rio, elas nunca se encontram onde julgamos vê-las. São refratárias e difíceis de ser fisgadas. E cada uma encerra múltiplos significados. Uma mesma palavra, como banco, pode expressar instituição financeira, assento junto ao jardim da praça, lugar em que ficam os reservas de uma equipe esportiva, areia que dificulta a navegação no mar ou no rio, mesa na qual artesãos preparam suas peças, depósito de dados ou objetos, armazenagem de sangue ou de outro material orgânico para doação ou futura utilização, lugar onde o réu toma assento no tribunal, primeira pessoa do indicativo do verbo bancar etc. Assim como o substantivo *cabeça*: acima do tronco, líder do grupo, ter a mente sadia, a parte superior do prego. E *pé* pode ser de gente, de mesa, a parte inferior da montanha, o maço de couve...

Raras são as palavras monossêmicas. Como a vida, todo vocábulo é plural. A sabedoria consiste em aplicá-lo adequadamente e ressignificá-lo de modo a extrair toda a sua riqueza.

Madame A. frisou que as palavras são como aves, voam no oco do céu, vivem em completa liberdade, despreocupadas se são ou não observadas, pronunciadas, redigidas, digitalizadas ou lidas. Às vezes pousam em nossa mente ou em nosso sentimento e, se não as agarramos, tornam a alçar voo e desaparecem.

Os poetas, disse ela, são exímios caçadores de palavras. Andam por lugares ermos com aquelas redes de apanhar borboletas, à caça de palavras raras e belas. Ao encontrarem uma, tratam de se aproximar sem fazer ruído e, em movimento ágil e delicado, a aprisionam no verso. As palavras não se incomodam, sabem que, na poesia, ganham a liberdade de expressão sem perder a de voar.

Toda poesia aspira a alçar voo e fazer ninho lá onde habita e se esconde o silêncio.

Devo acrescentar: as palavras, ciosas do valor que encerram, muitas vezes saem pelo mundo à caça dos poetas... São como mulheres que almejam ser vestidas pelos melhores costureiros.

A arte do silêncio ensinou-me a ruminar palavras. E descobrir que têm diferentes temperos. Umas são doces como mel ou açucaradas; outras agridoces, amargas ou ácidas; e há ainda as insossas ou mesmo salgadas ou azedas. Saber misturá-las equivale à alquimia da culinária: há que ter talento para harmonizar antinomias.

Assisti ontem a um rodeio na TV. Os pobres animais, arqueados de dor, saltitavam e coiceavam o ar na ânsia de repelir os intrusos que os montavam. Ora, escrever é montar em pelo o potro bravo e lograr domá-lo. Não é da mente e de sua ordenação lógica que a caligrafia extrai conteúdos. É da alma, da turbulência dos sentimentos, do ardente enamoramento, do ódio retido, do amor que aflora, do afã de professar o que parece transbordar da mente, da intuição, da subjetividade indócil. Dali as palavras brotam, como se houvesse conexão entre o caos interior e a mão que escreve. A mão cata ostras nas profundidades oceânicas da subjetividade e, delicadamente, dispõe no papel as pérolas alinhadas na harmonia do colar.

As palavras têm o vigor de árvores centenárias e a voracidade de plantas carnívoras. Reunidas, são como florestas indevassáveis a quem não possui a bússola capaz de conduzi-lo por trilhas seguras – o significado. Só ele nos aproxima do mistério que as palavras encerram. Então, elas se desnudam. Mas não o fazem por completo. Como adolescentes repletas de pudor, deixam entrever apenas um ínfimo e provocante detalhe de seus corpos polissêmicos.

E a cada novo passo no balé gramatical se ressignificam surpreendentemente.

Rompo a minha mudez neste caderno para tentar obter um mínimo de coesão no meu caos interior. E o faço mediante a escrita, uma arte solitária e silenciosa. Ninguém escreve pelo outro. Há talentosos e anônimos pintores que se dedicam a plagiar telas famosas. Nunca se soube de um escritor capaz de imitar com perfeição o estilo de um autor consagrado. A escrita é intransferível. E todas as tentativas de plágio são cópias grosseiras ou imitações ridículas.

Miro a realidade e vejo um espelho estilhaçado projetando múltiplas imagens disformes, dessemelhantes, de minha face. Já que não me é dado o poder de juntar os cacos e recompor o espelho, escrevo. Assim, sinto-me menos vulnerável.

Na aldeia a escrita não tinha a menor importância. Ali o mundo se confinava em uma ordem harmônica. As peças do jogo se encaixavam. O conjunto fazia sentido. A natureza, sempre silenciosa, se descrevia a si mesma, e Basileia, Ubelino, avô, mãe e eu éramos parte dessa gramática natural.

Existir é pronunciar-se, bem sei. Não se deve, entretanto – aconselha a palavra divina – atirar pérolas aos porcos. Por isso, pauto toda a minha existência em um pacto de silêncio. Deixo que ele me invada e possua. Nada de excepcional. São inúmeros os cúmplices do silêncio, pessoas que falam o corriqueiro mas guardam a si o essencial. É o caso da irmã G., capelã do hospital. Miúda, sempre agasalhada sob o véu branco, sorriso de aconchego, traz consigo a reverência ao nicho de sacralidade que carrega no fundo do peito. Preza a própria intimidade, preserva o mundo interior, resguarda-se ciosamente da tagarelice dissipadora do espírito, tão comum entre enfermeiras e auxiliares, e garimpa arduamente cada palavra a ser dita, embora entabule conversações o dia todo, por razões de trabalho. A maioria dos enfermeiros faz das palavras mera vibração sonora de inquietações interiores.

Sempre cuido de evitar que as palavras percam valor, resvalem pela língua perdulária, tornem-se presas da dubiedade ignóbil. Faço delas meu mais precioso segredo. Por isso dou-me à prevalência da busca do que se encontra *aquém* e *além* das palavras – o silêncio.

Malditos todos os tagarelas! Não falam, e sim cospem vocábulos, como a criança que rasga os originais de um texto clássico para fazer barquinhos e aviõezinhos. E os tagarelas são legião! Vomitam palavras por temerem o silêncio. Este os constrange. Porque o silêncio, despido de emoção agressiva, ressoa imponente, elegante, superior, e traduz comedimento e sabedoria.

Há quem fale muito para impedir a comunicação. As palavras se precipitam da boca como avalanche de cascalhos. Assim é o enfermeiro J. Ele pouco se importa com o meu silêncio. Creio mesmo que nem se dá conta. Garanto que é uma dessas pessoas que não gostam de ser interpeladas nem questionadas e por isso se esconde na trincheira da aluvião de vocábulos. Fala para não ter que escutar. Até porque seus ouvidos não suportam outras vozes que não seja a dele.

Tenho pena das palavras. Enorme pena. Como são profanadas, vilipendiadas! E, em si, são todas preciosas e inocentes. Sujeitas à nossa retórica, correm sério risco semântico. Pois nem sempre sabemos aplicá-las no lugar apropriado, revesti-las de uma sintaxe elegante, permitir que exalem todo o fulgor de seus significados.

As pessoas cometem a loucura de falar em profusão, como se bailassem sobre todas as coisas. Falam mais do que têm a dizer. Pronunciam palavras ocas. É uma loquacidade incessante, como quem teme ficar aprisionado pelo próprio silêncio. Então a alma se inquieta, a mente regurgita de impressões confusas, a boca profere inutilidades. Dali não brota nada que possa ser proveitoso ao espírito. Nada que mereça uma pausa para ser ruminado pela reflexão silenciosa. É como chafarizes de praças: esguicham água continuamente, sem jamais fazer transbordar o pequeno lago que os circunda.

Descobri, aqui no hospital, existirem palavras desqualificadas, inócuas, meras bijuterias disfarçadas de joias. Palavras taciturnas, sombrias, melancólicas, reticentes, brotadas do enfado de dar atenção ao outro. Palavras que médicos, enfermeiras e pessoal de serviço gastam como quem deixa uma torneira aberta desperdiçando água. Palavras que, indigentes de significados, tecem uma verborreia esgarçada, servem apenas para indicar a árvore sem que se perceba a beleza da floresta. Odeio tais palavras! São feitas de fonemas sem melodia, mera onomatopaica de quem perdeu a dimensão do sentido. Meu silêncio, nesse caso, é uma forma de protesto.

Nunca me arrependi do que não disse. Não basta travar a língua e fechar a boca para fazer silêncio. Isso induz as almas aturdidas ao desespero. A solidão é propícia ao silêncio desde que se saiba calar também as múltiplas vozes interiores. Caso contrário, a solidão deixa de ser solidária para ser solitária. Solidão que comprime, asfixia e amedronta, porque se está possuído por uma legião de fantasmas. Eles gritam como demônios enlouquecidos. Inflamam-nos o espírito e incendeiam-nos a mente. Nos induzem a chorar sobre o sentimento de abandono ou a correr à janela e gritar ao mundo o nosso desamparo. E somos impelidos a falar, falar, falar, ainda que ninguém nos ouça. Deixamos que palavras desgastadas pelo uso jorrem de nossa boca como pedregulhos na avalanche.

Fazer silêncio é deixar o tempo esvair-se. E dessilenciar-se é exilar-se de si mesmo. É entregar-se à derrelição. Porque todo tagarela teme a si próprio e faz do aluvião de palavras moedas oferecidas como quem mendiga atenção. Ele é como a terra rasa, árida, pedregosa, incapaz de absorver sementes e, portanto, dar frutos. Desprovido de profundidade, em sua cegueira não enxerga o castelo interior que se abriga em seu espírito. Jamais experimentará a indizível alegria de mergulhar na própria subjetividade e peregrinar ao longo de seus rincões mais profundos.

Às vezes me pergunto se o silêncio é feito apenas de ausência de palavras. Tendo a acreditar que não. Despalavrear não traz quietude. Traz o vácuo, no qual conhecemos a mais ameaçadora vertigem: a da desconstrução de todos os significados. Tudo passa a ser nada. É a dessacramentalização da palavra.

Aqui no hospital não há silêncio, há sim ausência de palavras em alguns momentos. Se não há palavras, há ruídos. Lá fora, o vento, o trovão, o trânsito, as edificações. Aqui dentro, o bater de portas, os carrinhos de transportar alimentos, a TV ligada, o entra e sai de médicos, enfermeiras e auxiliares. Ainda que eu tapasse os ouvidos e me ensurdecesse, há os ruídos interiores. Ruídos dessintonizados que se sobrepõem, se atritam, e parecem nos arranhar. São ecos de vivências passadas que nos penalizam com a insônia, a culpa latejante, e uma aguda percepção de nossa finitude. Há, sim, evocações benfazejas. Elas dilatam a alma, mas ainda assim não abrem espaço ao silêncio.

O silêncio é a completa ausência de ruídos interiores, ainda que trovões rachem os céus ou explosões façam tremer a cidade. Nele tudo se cala: a memória, a percepção dos sentidos, a ansiedade, as emoções e os sentimentos. Instaura-se o oco – imenso ovo vazio dentro do qual a intuição flutua. Ali, o inefável acontece.

E quando acontece, o silêncio transborda do nosso espírito. Somos a janela, ele o sol. Há janelas cobertas por cortinas tão espessas que não há meio de o silêncio nelas penetrar, embora bata no vidro. Uns trazem a janela suja, empoeirada; outros deixam que uma réstia de sol atravesse o vidro e quebre a escuridão. Mergulhar no silêncio é limpar o vidro da janela de modo que o sol penetre com toda liberdade. Então, já não se vê a janela, vê-se apenas o forte brilho resplandecente.

Ontem, irmã G. falava com a enfermeira B., aqui no meu quarto, de suas aulas de catequese no setor de pediatria.

Disse haver ensinado, na manhã de domingo, os sete pecados capitais. B. indagou qual deles era o mais importante. "É a soberba", frisou a religiosa. "Dele decorrem os outros seis." Agarrei-me silente à minha discordância: "É a gula", pensei. Todos os pecados capitais são diferentes formas de gula. Além da gula de alimentos, de tentar preencher, com quitutes e guloseimas, os buracos da alma, há a gula soberba de querer ser deus; a gula irada de quem considera o outro indigesto e trata de vomitá-lo e escarrar sobre ele; a gula luxuriosa de quem se julga no direito de se apropriar de uma mulher premiada pela exuberância da beleza, apenas por haurir prazer ao vê-la; a gula invejosa de torcer para que o outro caia em desgraça, como se triturado pelos dentes afiados de feras indomáveis; a gula avara daqueles que se encastelam em seu férreo egoísmo e são incapazes de solidariedade; e, enfim, a gula dos que se sentem saciados de si e trazem na alma a preguiça de abri-la ao próximo e a Deus. A infelicidade decorre sempre de alguma maneira de se empanturrar, de guardar em si, de engordar-se de sentimentos nocivos e intenções malévolas, estufando o coração de amargura.

Durante um período aqui no hospital, eu e o paciente X. ocupávamos o mesmo quarto, avizinhados por leitos justapostos. Homem viajado, um dia ele observou que Deus cometeu o erro de não induzir a humanidade a falar um único idioma – hebraico, grego, latim, inglês ou qualquer outro, mas apenas um, de modo que todos se entendessem.

Não objetei. Escutei calado. Talvez meu silêncio fosse suficiente para manifestar minha discordância. Quem disse que um povo que domina o mesmo idioma prima pela harmonia e o bom entendimento? Até sob o mesmo teto, uma mesma família profere línguas diferentes. No trabalho, então, isso é gritante. Vejo aqui no hospital como os médicos manifestam pontos de vista tão distintos a propósito do mesmo paciente ou da mesma enfermidade.

A dificuldade dos humanos não consiste na diversidade de idiomas, e sim na incapacidade de ouvir a si mesmo e ao outro. Como é difícil tentar compreender o ponto de vista alheio! Somos, com frequência, como o macaco que, ao se acercar da margem do rio e avistar um peixe, tratou de fisgá-lo e colocá-lo exposto ao sol sobre a pedra. A tartaruga, que o observava, indagou intrigada por que retirara o peixe de dentro d'água. "Para evitar que morresse afogado", respondeu o bem-intencionado macaco.

O paciente X. tinha mania de escutar rádio. Gosto quando a música é suave ou se o locutor diz algo instrutivo.

Contudo, a tagarelice parecia jorrar do transistor de X. O falatório era incessante. Entupia os ouvidos de propaganda e notícias sem a menor importância. X. não prestava atenção no que escutava, mas necessitava daquele jorro de palavras e ruídos para se sentir menos só. Temia o silêncio que, com certeza, o deixava à deriva de seus próprios pensamentos.

Com frequência X. dormia com o rádio ligado. Talvez se sentisse embalado por aquele aluvião de palavras. Eu pedia à enfermeira para desligar o aparelho. Então, me sentia em paz.

X. me torturava com a sua infindável logorreia. Ao despertar, completava uma frase como se durante o sono houvesse proferido longo discurso: "... falei pra ele não querer me enganar..." e seguia com a sua metralhadora vocabular indiferente à minha falta de atenção em sua peroração enfadonha. Como eu me recusava a responder às suas indagações, não se fazia de rogado: dava respostas às próprias perguntas. Era um saco de palavras triviais, prosodicamente confusas, ansiosas por liberdade. Mas liberdade significante, e não o cuspir incessante de um palrador.

Ao acordar, X. vociferava em minúcias todo o transcorrido ao longo da noite, o quanto custara dormir, os sonhos e os pesadelos, os momentos de insônia e os dessassossegos da posição do corpo na cama. Sem ter como calá-lo, vi-me obrigado a suportar tão verborrágica tortura. O pior é que X. quase sempre tomava o meu silêncio por interesse. Aquela verbosidade aturdia-me; feriam-me as palavras desgastadas, os adjetivos adulterados, os advérbios inadequados, a cantilena desprovida de sentido. E ele falava, falava o dia todo, até que a noite o submergisse no sono.

Certa manhã, silêncio completo. Estranhei. Olhei de banda: X. estava morto. Experimentei profundo alívio. A morte é o império do silêncio. E ele havia sido subjugado. Nunca mais eu precisaria ouvi-lo descrever brigas de família, incontáveis empregos pelos quais transitou, males que o afetaram e o trouxeram ao hospital. Estava morto, irremediavelmente silenciado pela morte.

Enfim, as palavras escaparam daquele corpo inerte, como prisioneiras que, afinal, descobrem a pequena fresta que dá direto na rua. Foram à procura de seus respectivos significados. Deixaram-no ali, vazio, mudo, entregue ao sono inelutável da morte.

Também observo aqui como as pessoas têm pressa. Os médicos, em suas visitas-relâmpago, são como morcegos brancos em revoadas abruptas. Enfermeiras parecem tão convictas do nosso estado de saúde que nos tiram a pressão arterial só para confirmar o que já sabiam. As pessoas têm pressa de viver, de fazer, de acontecer. Pressa de prazer e de obter, de partir e de chegar. Não se trata de um movimento acelerado pelo relógio ou pela exiguidade do tempo. Parece-me um fenômeno biológico urbano. Está dentro das pessoas. É como se elas lutassem arduamente contra o avanço da idade, a velhice, o ritmo implacável do tempo. Ela, a pressa, cria ansiedade, eletriza, dissemina dispersão. É como se todos se sentissem acuados pela morte, esta inexorável inimiga de nossos desejos, de todos os nossos sonhos, de tudo isso que nos traz um pouco de felicidade. O diapasão de nosso inconsciente denuncia que somos o único animal ciente de que nasceu e haverá de morrer. A morte é a anulação completa de tudo que construímos ao longo da vida. O castelo de areia desaba. Só a fé no silêncio nos salva da morte.

E se fossemos imortais? Voltaríamos ao estágio mais cruel do ser humano. Cada um haveria de cuidar apenas de si e dos seus, despreocupado com o sofrimento alheio. A dor seria infinda e os prazeres fugazes.

Agora sei, fora da aldeia, o quanto as pessoas são movidas pela ânsia de fazer, fazer, fazer. Lá o melhor fazer era não fazer nada. Deixar-se estar, apenas ser. Ênstase – livre das sutilezas da mente e dos fantasmas do espírito. Mergulho no vácuo interior. Aprofundência quântica, inobservação.

Irmã G. trouxe ontem o doutor T. para, frisou ela, conhecer "o homem do silêncio". Fiquei a fitá-los sem fixar os olhos, como se eu visse através deles. Meu olhar, de fato, centrava-se em um ponto distante, imaginário, como se eu não pudesse enxergar direito o que se encontrava próximo a mim, apenas o que se achava distante.

A religiosa comentou com o médico preferir o silêncio à falação e ao ruído. Doutor T. franziu o cenho e tirou os óculos para esfregar os olhos com as costas da mão esquerda: "Irmã, o que me assusta é o silêncio dos mortos. Denuncia o nosso fracasso frente ao desafio de curar ou ao menos manter vivos esses pacientes."

A irmã meneou a cabeça em sinal de assentimento. Ao escutar aquilo, tive a certeza de que o silêncio da morte não me inquieta. Nele finda todo sofrimento. Terrível é o silêncio da vítima entregue ao poder de seu algoz. O silêncio de quem é humilhado e não dispõe de meios para expressar seu protesto.

O silêncio é todo ele feito de nuances. Não há uma única forma de silêncio. Há múltiplas. Há o silêncio que é mera ausência de som, mas pode encerrar uma inflexão amarga, de ódio contido, de desprezo, de preconceituosa arrogância. Este silêncio não apenas fala, ele grita. Assim como a alma sensível é tocada pelo silêncio súplice, silêncio do desafortunado, do olhar que clama por socorro, da velha mendiga que, à porta de igreja, estende a mão desde a sua mais remota pobreza à espera da caridade alheia.

Há ainda o silêncio altissonante da vítima que não cede às exigências de seu algoz, bem como o silêncio do monge recolhido em meditação. São silêncios expressivos, densos, por vezes soberanos. Deles emanam muitos dizeres, embora não se ouçam falares.

A palavra é dia; o silêncio, noite.

Há aqui um paciente com o qual me identifico. Trata-se do senhor F., diplomata. Erudito, durante décadas serviu o nosso país nas mais prestigiosas embaixadas. As fotos que ele orgulhosamente exibe, guardadas impecavelmente em álbuns de folhas transparentes, comprovam que foi homem de festas, recepções requintadas e galanteios. Privou amizade com governantes, atrizes e atores, celebridades do mundo da moda, escritores famosos e pilotos de Fórmula 1. Constituiu, mundo afora, extensa rede de amigos e admiradores. Contraiu matrimônio quatro vezes e deixou meia dúzia de filhos.

No verão passado, o senhor F. sofreu um acidente de trânsito. Seu carro esporte, conversível, foi abalroado por um caminhão de transporte de gás. O incêndio provocou-lhe queimaduras em 90% do corpo. Apenas os orifícios da face foram poupados: boca, nariz e olhos. Tudo mais se assemelha a uma borracha acinzentada e ressequida, como se a retração da pele, desidratada pelo fogo, tivesse deixado sobre seus ossos e membros uma película que é, toda ela, imensa cicatriz disforme e irregular.

Repugna aos olhos fitar o senhor F. Tem-se a visão de um monstro. Por isso ele jamais exibe às visitas qualquer parte do corpo, exceto o nariz e os movimentos dos olhos e da boca, por detrás de uma máscara negra que lhe esconde o rosto calcinado.

A cada semana, escasseiam as visitas de parentes e amigos do senhor F. São pessoas acostumadas à vida glamourosa e que, agora, fogem da feiura, horrorizados com o que restou do senhor F. Eis o mais terrível dos silêncios: o do desamor. No círculo de relações do senhor F. as pessoas não olham, mas se olham, fazem do próximo espelho de si mesmas. E por isso já não suportam fitar a própria alma no corpo deformado do senhor F.

Doutor N., o da voz macia e rosto oval protegido por uma cabeleira de fios negros e anelados, perguntou ontem o que escrevo. Mantive-me calado. Talvez não devesse escrever nada. Melhor dizer coisa alguma. Deveria, sim, continuar a poupar as palavras de tantos desgastes como fiz na aldeia ao longo de muitos anos.

Como as palavras sofrem! Como são prostituídas! Melhor deixá-las abrigadas no silêncio, botões de flores agasalhados no pedúnculo. Evitar que se exponham à luz incandescente da tagarelice. Pois assim como o vaso cria o vazio, a palavra cria o silêncio.

Quantas vezes sou tomado pelo ímpeto de registrar por escrito ou manifestar em palavras uma lembrança, ideia, agradecimento ou queixa e, ao reter o impulso, fico em seguida grato a mim mesmo! Quantas vezes eu não seria traído pelas palavras que expressaria? Da palavra por dizer sou dono; da dita, escravo.

Posso apagar o que escrevo. O que falo, jamais. Falar é como derramar café sobre o lençol. Não há como anular o incidente. A palavra proferida incide irreversivelmente sobre a realidade. Impossível silenciar o que foi dito. Posso tentar corrigir, mudar de opinião, desdizer-me. Mas para isso terei de utilizar mais palavras, multiplicá-las, como quem usa um produto químico para limpar o lençol manchado e acaba por dilatar a nódoa.

As palavras não são apenas expressão do que penso e sinto. Elas também *me falam* e *me leem*, pois só posso expressar o que em mim se encontra interiorizado. Conjugo, em tudo que digo, o verbo de minha subjetividade. Assim, cada vocábulo é também espelho, e reflete minha verdadeira face.

Não há palavra gratuita. Todas têm um preço – o valor de uma vida.

Ao escrever neste caderno, preservo o silêncio das palavras. Aqui elas não fazem ruído. São como bailarinas que, delicadamente, adentram o palco do teatro para ocupar posições antes de a cortina se abrir e a orquestra emitir os primeiros acordes. Cuido de bem guardá-las, evito o desgaste de sua natural polissemia e trago a elas a luz do meu entendimento. O silêncio da escrita conjuga-se com o caráter polissêmico da leitura.

As palavras se sujeitam a frequentes metamorfoses. São como mulheres que adoram trocar de vestido a cada vez que saem à rua. A mulher é a mesma, mas a razão pela qual deixa a casa faz com que se vista de um modo ou de outro. Não vai à festa com a mesma roupa que usa para ir à feira. Não vai à igreja com o traje apropriado à academia de ginástica.

Assim são as palavras: mudam de significado de acordo com o texto e o contexto. A linguagem é sempre um jogo.

Madame A., mulher de porte elegante e sempre bem-vestida, e cujas rugas pareciam acentuar-lhe a beleza, me ensinou que a palavra não é um corpo inerte, pedra que se ajusta na construção sintática. É um ser vivo. Proferida, sempre ressoa carregada de emoção. Não há palavra asséptica, neutra, insossa, despida do tom de quem a profere ou escreve. E há momentos em que a emoção é mais forte do que a própria palavra. Esta, precipitada no abismo, empurrada pelo nosso descontrole, dessilabiliza-se, desenletra-se, desfigura-se e estilhaça seu vigor semântico.

A alfabetizadora me instruiu a decifrar letras e saber casá-las para formar sílabas, e costurar sílabas para forjar palavras e somar palavras na harmonia capaz de produzir textos. Pensei, no início, que bastaria esse esforço de adição para criar um período. Aos poucos me fez entender que palavras são como casas: vistas da fora, parecem simples construções que variam em tamanho e forma e, no entanto, mantêm a mesma aparência. Contudo, guardam vidas dentro delas, almas que pulsam, interrogam e professam sentimentos, ideias e crenças. Somente ao penetrar na casa nos é dado conhecer toda vitalidade e riqueza que nela se abrigam. Porém, para entrar, se exigem chaves e conhecimento de segredos semânticos. Pode ocorrer que, ao avistar as pinturas que pendem das paredes, não nos demos conta da qualidade que encerram e da maestria de seus artistas.

"Nenhuma palavra esgota o silêncio que existe dentro de nós." Li isso em alguma parte. Talvez em um daqueles livros que a alfabetizadora me emprestou. São tantos livros lidos que não lembro se de autor russo. Tateio a memória. Talvez húngaro. E, como todo livro, obra silenciosa. Por isso a literatura causa tanto impacto. Fala ao silêncio que existe dentro de nós. Fala ao inconsciente. Fala com tanta força que acaba por vencer aquele reduto do ouvido que não quer escutar.

Contei à madame A. que, de certa feita, sentado na pedra, fiquei a olhar o vento varrer a poeira do chão defronte ao casebre. O vento bateu arisco, aterrissou e tornou a empinar feroz. A poeira subiu em redemoinho e me irritou as narinas. Espirrei. Logo que a lufada amainou, o avô veio sentar-se ao meu lado. Enquanto limpava o cachimbo, observou: "Pó, poeira, poesia." "Poesia é muita poeira?", indaguei. "Muita estrela é constelação, muito demônio é legião", disse, "e poesia deve ser muita poeira." O cachimbo abastecido voltou à boca, e a atenção do avô prendeu-se nos tufos de poeira que se desfaziam ao encontro da pedra.

"Se palavra fosse ouro, poesia seria o pó raspado da superfície", disse madame A. "Poesia é, sim, algo muito delicado, algo que se faz de pó, mas tem que ser pó de ouro."

Agora sei que o apogeu da linguagem é a poesia. A linguagem viola abismos; a poesia provoca calafrios e dispensa verdade. Basta-lhe beleza. Ela rompe todas as regras da sintaxe e torna cada vocábulo polissêmico ou plurissêmico. É o único gênero literário que ecoa como música. Toda poesia subverte a lógica e enlouquece a razão. Como um balé quântico, o verso observado nunca se encontra onde o observador julga identificá-lo. Onde o leitor localiza verso, soa melodia; e onde descobre estrofes, ecoam cânticos. Toda palavra sonha em transubstanciar-se em poesia. Libertar-se da prosa e bailar efusivamente na profusão da linguagem.

Perguntei à madame A. como saber se o que leio possui qualidade. Ela sorriu e enfatizou: "É boa toda literatura que altera, para melhor, o seu estado normal de consciência e enleva o seu espírito. O bom livro é como a casa em que você se sente tão bem que preferiria jamais sair dela. E quando sai, sonha em voltar."

Prefiro escrever a falar. Na fala as palavras despencam da boca sem que haja tempo de prestar atenção no valor que encerram. A língua é um tapete ensaboado, escorregadio. Receio proferir uma ideia ou afirmação sem os termos adequados, sob o risco de utilizar vocábulos ambíguos ou conceder à voz um tom que distorça o significado.

As palavras não cabem na boca. São do tamanho da alma. Extrapolam a razão e ficam perplexas, mudas, diante de certos sentimentos. Boca serve para ingerir alimentos e respirar. Deus, na pressa de criar o ser humano no sexto dia, cansado como andava, teria se esquecido de colocar em nós um órgão da pronúncia? Deus é sutil. Se nos criou à sua imagem e semelhança, há alguém convencido de que Ele é tão fraco assim de feições, desabonitado?

Ora, imagem e semelhança provêm das palavras que proferimos. E elas são todas eivadas de mistério. Por isso, o órgão da fala se disfarça de diafragma e laringe, faz vibrar as cordas vocais, ressoa na boca, faz de conta que pousa na língua, tudo para despistar nossa curiosidade. É um órgão invisível. Só o conhecemos por sua expressão – a palavra.

Economizar palavras não é avareza, é sabedoria. Ontem mesmo, J., ao vir tomar minha pressão, narrou em detalhes a decisão, na noite anterior, do campeonato nacional de futebol. Tive vontade de retrucar-lhe. Porém, tão adocicado era o sabor da palavra que pousou em minha língua que preferi abeberá-la. Em vez de pronunciá-la, deixei impregnar-me o paladar. Suavizou-me o espírito e se derreteu lentamente em minha boca. Néctar embriagador, mergulhou-me no silêncio. Com o olhar agradecido, fiquei a observar o enfermeiro descrever o jogo.

Trago em meu âmago um dicionário indefinido. É feito de sombras, pequenas moscas vocabulares cujos contornos não são imediatamente identificáveis. Aos poucos essas moscas, que mais parecem riscos rascunhados, emergem e se transmutam em vocábulos definidos. A palavra ganha forma e expressão; primeiro, como aguda intuição que parece preceder o raciocínio, e até mesmo a consciência. Logo, ocupa a mente, atriz sob a luz do palco. Só então alça o voo que permite se libertar de mim e ganhar autonomia na fala ou na escrita.

Só quando penso me sinto eu mesmo. Quando falo, meu eu se derrama em outros. Porque a fala me compromete com o que digo e com quem me escuta. A fala não retrocede. A palavra dita nunca paira no limbo, no reino da neutralidade. É sempre palavra bem dita ou palavra mal dita. Já o pensar é completo livre-arbítrio. Os juízos que faço do enfermeiro J., que cuida de minhas escaras, juízos que jamais expresso, ficam retidos em mim. E posso modificar meus juízos quantas vezes quiser.

O pensar é mais verdadeiro que o falar. Há ocasiões em que se diz o que não se pensa e se pensa o que não se diz. Outro dia, doutor L. elogiou o penteado da enfermeira B. Ela armara a vasta cabeleira de um modo que me pareceu inadequado. Puxou-a quase toda para um lado da cabeça, deixando o outro e a nuca quase carecas. Entretanto, como se encontrava dominada pela tristeza – na semana anterior o marido a abandonara após doze anos de casamento – o médico decidiu elogiar-lhe o novo penteado. Por delicadeza, falou o que não pensava. Quando ela se foi, ele comentou: "Que penteado horrível!"

Sou autenticamente eu quando penso. Sou o meu pensar e preservo-o no invólucro do silêncio. O mesmo não acontece quando medito a ponto de me abstrair de qualquer pensamento. Então me abro à possibilidade de me transmutar em um Outro. Esse Outro me denuncia a mim mesmo; decifra-me, ajuíza, interpela. Talvez seja essa a razão pela qual, muitas vezes, receio ingressar no silêncio – o Outro me torna transparente a meus próprios olhos. E dói fitar a mim mesmo. Faz cair máscaras. E exige mudança de rota.

O senhor F. manifestou à irmã G. seu queixume pelo excesso de ruídos aqui no hospital. Ela balançou a cabeça, recoberta pelo véu, em sinal de concordância. E acrescentou irônica: "O paradoxo é que, nas ruas em volta, há placas sinalizando *Zona de silêncio*."

Tive vontade de contestá-la. Porém, fiquei tomado pela preguiça de argumentar. Se me animasse, se fosse conversador, diria que a contradição principal reside nas ambulâncias que entram e saem com a sirena ligada. Nunca entendi por que não a mantém desligada quando próximas ao hospital. Talvez seja questão de poder. Sim, ter o direito de trafegar em alta velocidade, sem respeitar a sinalização do trânsito, é uma prerrogativa das ambulâncias. E o fazem com a sirena aberta. Como se avisassem: "Afastem-se, tenho pressa, carrego um paciente que necessita de socorro urgente." Às vezes é verdade. Nem sempre. Segundo enfermeiras, médicos abusam desse direito para evitar engarrafamentos e lentidão do trânsito.

Quem suporta respeitar o silêncio? Muitos o temem. Por isso se fazem acompanhar por toda sorte de ruídos: mecânicos, eletrônicos, musicais, tagarelas, como se tivessem medo de o silêncio atirá-los no buraco negro da imponderabilidade.

A dor não permite que o silêncio se imponha no hospital. Toda dor é dessilenciosa e, por isso, aturde. Ainda que não provoque gritos e choros, fere o coração. Quando física, pode ser aplacada mediante medicamentos. A moral, a espiritual, a do amor sonegado, nem sempre o tempo cura. Não são dores de ferimentos. São de amputações. E o que é amputado da alma, da dignidade ou da honra não pode ser reimplantado. Só a compaixão traz alívio ou, como no caso das vacinas, o antídoto se faz com o próprio veneno.

O doutor N. domina o silêncio, porém de modo diferente. Calvo, óculos de aros brancos, rosto asseado e olhos vivos, faz um silêncio eloquente. Ao conversar com as enfermeiras, percebe-se, pela postura dele, sem que de sua boca saia uma só palavra, se aprova ou desaprova o que escuta.

Como é difícil exercer domínio sobre a própria boca!

Agora posso entender por que pessoas comedidas se sentem incomodadas com a tagarelice, como é o meu caso. Não é o discurso alheio que nos estorva. É o fluxo de palavras proferidas sem a menor atenção, o menor cuidado. A verborragia é uma forma de incomunicabilidade.

Sei que meu silêncio incomoda pessoas à minha volta. Mostram-se tão intrigadas que chego a pensar que meu silêncio fala. Elas se sentiriam melhor se isso não ocorresse, se eu manifestasse alguma opinião ou ideia. Por vezes me perguntam por que estou triste, se enfrento algum problema, se me sinto deprimido. É como se meu silêncio as desafiasse a se calar. Ora, não tenho o menor interesse em provocar alguém com o meu modo de ser. Assim fui criado na aldeia. Melhor seria que essas pessoas se perguntassem por que o silêncio alheio as incomoda. Na verdade, não é exatamente o silêncio que incomoda, é a inteireza de quem é capaz de guardar silêncio. Ninguém se sente desafiado pelo silêncio de uma pedra. A pedra é, toda ela, monoliticamente silenciosa. Guarda em si seus segredos. Contudo, também fala. Nem todos podem ouvi-la. Mas um geólogo ou um físico podem fazê-lo. Conseguem que ela conte a sua história e expresse a sua consistência. E, através do carbono-14, diga a sua idade.

Já nós, humanos, somos seres vazados: olhos, ouvidos, boca e mente. Portanto, não é o meu silêncio que incomoda o próximo; é a liberdade de encaramujar-me em mim mesmo. Talvez muitos considerem esta uma atitude de indiferença, o que os irrita. Indiferença é uma postura que exala desprezo. E no silêncio não há desprezo. O desprezo fala por sentimentos represados, ainda que a boca se mantenha fechada. É o grito sufocado do coração indócil.

Na aldeia aprendi que não se silencia apenas a boca. De que vale manter a boca fechada se o espírito arde em turbulências? Posso silenciar-me em palavras e, no entanto, borbulham em mim ímpetos de ira, preocupações exacerbadas, o peso incomensurável de uma culpa. Nesses casos, não há verdadeiro silêncio. Há um calar-se atordoado por uma infinidade de inquietações. É como o tropel de mil cavalos presenciado por um surdo. Ele observa o resfolegar incontido dos animais em disparada, impressiona-se com a poeira que levantam, mas nada escuta, nenhum relinchar, nenhum atrito dos cascos nas pedras, nenhum ruído suscitado pela tropa.

Fazer silêncio na mente, ensinou-me o avô, é mais importante do que silenciar a boca. Há, contudo, outros silêncios desafiadores, como o dos olhos. Quem diz que silêncio é apenas ausência de palavras e ruídos? Urge saber conter a gula dos olhos. Olhos insilenciosos são os que funcionam todo o tempo como periscópio, atentos a cada detalhe que se passa à volta. São olhos pan-ópticos, tudo querem morder com sua voracidade incontida. Olhos interessados, curiosos, intrusos, que temem não apenas a própria cegueira, mas também a possibilidade de não avistarem algum detalhe, algum indício, o que se esconde nos vãos da penumbra.

Há ainda o dessilêncio dos odores, dos perfumes que inebriam, dos cheiros nauseabundos que infestam o ar, das fragrâncias que impregnam o ambiente de magia. E dos ouvidos que não ficam excitados por notícias, comentários sobre a vida alheia e curiosidades inúteis.

Na aldeia, buscar o silêncio era aprender a fazer todos os silêncios, de modo a aquietar o espírito. A maior ameaça não provinha dos latidos de Basilea, do rumor do vento, dos estalidos da vegetação ou mesmo de eventuais trovões a eletrizarem os céus. A maior ameaça vinha de meus demônios íntimos. Não sei bem por quê, mas há em mim cavernas interiores que eu mesmo não logro penetrar. Ali se escondem meus medos, a bruxa da culpa, os duendes malditos que fervem os caldeirões da ira, da inveja, da vaidade. Ah, como é difícil escavar o próprio solo, abrir túneis, até atingir esse âmago que demarca o piso das cavernas! Dali me enxergo, vislumbro todo esse arsenal de couraças com o qual encubro o que há em mim de mais pérfido. É então que reacende a consciência de que não há paraíso na Terra. Inútil buscá-lo, porque a Terra é o reino das imperfeições, das dúvidas, dos sofrimentos, ainda que haja conquistas, vitórias e alegrias. Mas sonhar com a felicidade é desejar o mais promissor e frágil – o amor. Pode-se prová-lo, sentir-lhe o gosto e o cheiro, deixar que desperte no paladar da alma a fome voraz de completude. Porém, não se pode aplacá-la. Porque o amor, enquanto saciedade, é resultado de encaixes. Peças que se ajustam com perfeição. Jogo de alteridades. E isto é uma quimera: encontrar nesta vida o meu duplo, suprir a falta, inserir-me sem carência na totalidade.

Mas como o apetite foi despertado pela prova, a fome perdura e a busca prossegue.

A literatura não aplaca esse apetite, aprofunda-o. O texto me transporta para outra dimensão da realidade, faz-me levitar, arranca-me do lugar em que me encontro para conduzir-me à esfera onírica, na qual pouso como um ser extratextual. Ou me faz ver a realidade com uma nitidez que meus olhos não alcançavam. Ali no texto me é dado conhecer pessoas, novas ideias, tramas e sagas, e situações que as personagens vivem e através das quais se relacionam. Torno-me também protagonista da narrativa, tão invisível quanto o autor, mas soberanamente presente em cada período, cada frase, cada sílaba, cada letra que compõem esse estranho código que, semanticamente harmonizado, escreve e descreve tudo aquilo que o espírito humano é capaz de conceber.

Falar é delirar. Quando me expresso, libero o fluxo de meu inconsciente e canalizo, na estrutura da linguagem, meus sentimentos, minhas ideias, meus desejos. No sonho, o delírio encontra a sua alforria. Está livre das amarras da sintaxe.

Na verdade, não sou eu quem fala: a linguagem fala em mim. Ao abrir a boca, apenas ecoo na minha fala o que a linguagem disse em mim. Escuto-a, e graças a essa escuta sou humano. Quando perco a capacidade de escutá-la, deixo de ser seu objeto para me tornar seu abjeto. Mergulho na turbulência. Enlouqueço. E só recupero a sanidade ao deixar a linguagem falar em mim.

Às vezes, na hora das vésperas, ouço o cantochão das monjas recolhidas em oração na capela do hospital. Então, sinto-me assediado por palavras impronunciáveis. Palavras primordiais que ainda não ganharam pronúncia nem escrita. Palavras sussurrantes, evocativas, alegóricas, que aspiram virar versos poéticos, e não podem ser expressas, porque se aninham na esfera da emoção. Ali, escondidas, não me permitem ver-lhes a origem, o gênero, e muito menos o significado. Recusam-se a se deixar captar pela razão, temem os punhos férreos da lógica, não querem ser aprisionadas pela sintaxe. Permanecem submersas na emoção e, dali, destilam um suave perfume que, lentamente, se dissemina por meu corpo. Nada a dizer. Apenas deixar-me possuir por essas estranhas e raras palavras que se apresentam revestidas de mistério e ecoam como música silenciosa.

Como todas as coisas, as palavras nascem, vivem e morrem. Ao longo do tempo, mudam de grafia e de significado, e até ganham ou perdem acentuação. O modo de falar e escrever não é, hoje, o mesmo de dois séculos atrás nem será idêntico ao do futuro.

A boa escrita preserva as palavras da senilidade mórbida. Por isso recorro a este caderno. A oralidade tende a corroer as palavras. Como o metal exposto à brisa marítima, a fala oxida vocábulos, degenera-os, e deturpa-lhes o significado. Daí minha preferência por preservá-las no silêncio. Perpetuo-as na escrita. Assim, evito que trafeguem descuidadas pela acidentada via da expressão oral. Fujo da babel de prosódias.

As palavras proferidas dificilmente escapam de se decompor em gírias ou de se degradar em tons pejorativos.

Em escritos apressados, como bilhetes e recados, sofrem de anorexia retórica e, por vezes, são mutiladas.

A oralidade tende a abastardar o idioma. A logorreia e a verbosidade fazem da língua uma ocasião de tropeços. Não devemos escrever assim como se fala. Um pouco mais de respeito aos ditames da gramática adiciona ao nosso discurso, ainda que em tom coloquial, certa elegância, desde que não se ceda à prosopopeia grandiloquente ou à empáfia verbal, como se fosse um orador sacro preconizando o apocalipse.

Madame A. me ensinou que os humanos descendem dos símios. Fico a imaginar o primeiro deles a pronunciar a palavra originária. Deve ter sido como colocar um espelho diante do rosto de uma pessoa que jamais havia visto a própria face. Naquele símio, a natureza sobressaltou-se em si mesma. A palavra reverberou no cérebro, dotou-o de capacidade reflexiva e promoveu-o de mero animal a humano.

O avô sabia abrir as janelas do espírito para arejar palavras, adubar suas raízes etimológicas, regá-las como flores delicadas. Ai das palavras que não tomam ar fresco e nas quais se cria bolor! Ao emanar um cheiro nauseabundo, já não servem senão para serem jogadas no lixo. Ai das palavras encráticas, armas consensuais do poder, que encobrem a verdade e se prestam a legitimar a injustiça! Seus arautos mereceriam morrer sufocados por elas. Como a água e a atmosfera, as palavras também são poluídas pelo uso descuidado, contaminadas por discursos néscios proferidos por quem pretende apenas agradar os ouvidos – em geral, os próprios.

Aqui no hospital todos os objetos – lençóis, mesas, aparelhos cirúrgicos etc. – têm afixados uma etiqueta com um número. Não seriam as palavras como etiquetas que pregamos nas coisas, de modo a identificá-las? Talvez. Afinal, nem tudo pode ser nominado. E há palavras ou etiquetas que não podem ser afixadas. Onde afixar a palavra *numinoso*?

Escrever é um ato intransitivo. Como não tenho nenhuma causa a defender, nenhum gesto humanitário a propor, nenhuma fé a missionarizar, escrevo na gratuidade das palavras que brotam do conluio entre a mão que empunha a caneta e o papel que, na sua virginal brancura, aceita amorosamente o que gravo sobre ele.

Toda linguagem é metafórica. As palavras traduzem a realidade sem esgotá-la, pois são insuficientes para captar o real em sua essência e verdade. Há realidades para as quais não temos palavras. Nem sequer condições de inventá-las. Realidades que extrapolam as palavras e, às vezes, escapam à nossa percepção. O que não se pode enxergar ou conhecer não se pode nomear. No entanto, o real está lá, sejamos ou não capazes de identificá-lo e nomeá-lo. Não nos pede licença para existir. É o fundamento do nosso existir. É a verdade. Verdade que só se pode apreender ao alcançar a proeza de adequar a inteligência ao real.

A poesia é o gênero literário que mais se aproxima do real. Não consegue enxergá-lo nem nomeá-lo com precisão, mas o intui, assim como a amada, a distância, pressente que algo de bom ou de ruim sucede a seu amado. Exemplo é este verso: "Ó noite que juntaste / amado com amada / amada já no amado transformada." É de João da Cruz. Li no pequeno folheto catequético ofertado pela irmã G. O verso tenta expressar a mais profunda união entre duas pessoas, união que se esconde dentro da noite, assim como os amantes se refugiam na câmara nupcial. E há sempre uma noite ou uma nuvem a encobrir o nosso entendimento quando se trata do amor. Em suma, as palavras estão aquém da profundência do real. Há um momento em que somos obrigados a admitir a intransponível limitação do discurso. Resta-nos, então, calar.

A sabedoria não consiste em proferir belas palavras, e sim em saber calá-las. A substância das palavras se encontra fora delas. Ninguém, por mais que escreva e leia a palavra *pão*, haverá de sentir a fome aplacada. De que adianta decorar cardápios sem a oportunidade de apreciar os pratos? De que vale ler atentamente o rótulo de um excelente vinho se a garrafa permanece fechada e o cálice, vazio?

As palavras são pontes. Servem para comunicar. Não se deve, contudo, confundir o caminho com o destino. Porque não fomos nós, humanos, que criamos as palavras. Elas é que nos criaram e fizeram irromper o humano.

Quando a palavra se cala e o silêncio se impõe, o real transparece em toda a sua pujança. A realidade ultrapassa as palavras. Elas são a representação simbólica do real. E como é difícil adequar palavra e realidade! Quem o consegue chega à verdade.

As palavras têm sexo – li em um conto cujo autor não me recordo o nome. Se não me equivoco, era carioca. Dizia ele que as palavras se amam e, inclusive, se casam. Têm rosto, som, identidade e história. Uma palavra como *ternura* possui um som suave, acolhedor. É uma palavra revestida de decoro e comedimento. Nela não transparece a sensualidade da palavra *carícia* nem o tom promíscuo de *lascívia*.

É preciso estar atento ao corpo desnudo da palavra, às suas inflexões, às linhas sinuosas de suas letras, à peculiaridade de sua fonética, à profundidade de seu significado e ao modo como se adequa tão harmoniosamente na companhia de suas irmãs para formar a frase. Não há palavra egoísta. Toda palavra é solidária, pois se elenca docilmente no fio do discurso e da escrita como a linha que se prende à pipa suspensa pelo vento.

As palavras não merecem ser banalizadas. Encerram uma noção de gravidade e refletem – sem lograr elucidá-lo – o mistério da vida. O propriamente humano se instaura pela palavra. Porém, nada supera a incomensurável distância entre vida e palavra. A vida pulsa e ultrapassa todos os conceitos. A palavra ecoa a pulsão da vida. Não consegue, entretanto, defini-la ou direcioná-la. Toda vida encerra múltiplas possibilidades. Toda vida é mistério. E mistério é tudo aquilo que atrai, fascina, desafia e supera as razões do crer.

Por mais que as palavras sejam firmes como troncos de castanheiras e, uma vez proferidas, resplandeçam como chamas, há sempre o momento em que se transformam em fumaça e evaporam para além de toda a realidade. Diluídas no espírito, já não podem ser ditas, malditas ou benditas. Desvocabulizam-se no silêncio matricial do Verbo indeclinável. Mergulham no silêncio que suprime toda alteridade. Passam a compor a intraduzível gramática de um universo interior polvilhado de estrelas e galáxias atraídas por uma mesma sintonia.

Não é a boca que faz silêncio, é o âmago do nosso ser. Calar-se não é silenciar-se. Há quem se cale para evitar que exploda o turbilhão que lhe esmaga o coração. Há quem se cale movido pela covardia ou pelo medo da verdade. Contudo, o verdadeiro silêncio cala o espírito e se traduz em paz interior, em aquietação d'alma, e a ninguém julga, nem a si mesmo.

Lembro de certo verão em que a mãe emudeceu. Recolheu-se a completo silêncio. Preparava a comida, arrumava a casa, cuidava da horta, mas nada dizia. Nem o avô nem eu perguntamos por que se calara e por quanto tempo se manteria muda. Respeitamos sua recusa em se expressar por palavras. Se falávamos com ela, a resposta vinha por mímicas ou movimentos que lembravam uma bailarina. Os gestos eram precisos. O corpo movia-se em câmera lenta, como se flutuasse. Os olhos refulgiam ou ganhavam opacidade, dependendo do momento. Havia nela algo de imponderável, como se uma luz emergisse de seu plexo solar. Tive a impressão de que não era ela que fazia silêncio, mas o contrário.

Outro dia irmã D., a religiosa diretora do hospital, falou-me, entusiasmada, do silêncio dos monges. Sua voz suave se acentuava pelo modo animado com que movia o rosto cor de leite e os gestos amplos de seus braços curtos, proporcionais à sua pequena estatura. Recusei-me a contradizê-la. Apenas dei um sorriso complacente, contido, para preservar a respeitosa distância que há entre nós. Se tivesse ânimo para objetá-la, diria que o silêncio dos monges é povoado de ruídos simbólicos. Ainda não é o silêncio como expressão do Silêncio. É apenas o ruminar de significantes que funcionam como pinças para elevar e enlevar a alma dos monges, que escutam Alguém ou alguma coisa. Esse sussurro, esse rumor de anjos, os mantém reclusos. Talvez temam romper o limite entre os significantes e os significados, o espaço indecifrável do silêncio inexprimível. Silêncio desprovido de sentido, vazio de si e do Outro, plenitude ociosa. É ali, onde a teologia se cala e as liturgias perdem sentido, que o Silêncio se manifesta como radical ausência. E, no entanto, é esse colapso de todos os significados que atrai, articula e funde as peças que transformam todas as coisas em uma única – o real indizível. Ali se suprimem as distâncias entre a Terra e o céu, o humano e o divino, o natural e o sobrenatural. Ali o verbo é irreversivelmente conjugado, tão somente no presente, verbo impregnado de caráter epifânico. Mais que epifania, ele provoca diafania. Tudo resplandece.

O mais intrigante silêncio é o de Deus. Silêncio que paira, implacável, sobre todos aqueles que não têm fé. A ausência de fé revela a presença do silêncio divino. É como se Deus dispensasse nosso reconhecimento e nossos louvores. Assim, o ateísmo é a afirmação da absoluta autonomia e soberania de Deus. Guardando-se em seu silêncio, Deus nos entrega à completa liberdade, até mesmo a de negar ou afirmar a sua existência. E o faz não por indiferença, e sim por respeito ao fundamento da nossa capacidade de amar: a liberdade. Não há verdadeiro amor sem livre reciprocidade. Se não fôssemos radicalmente livres, Deus não seria Deus.

Esse silêncio de Deus que paira acima de toda fé não é o que mais incomoda. Incomoda o silêncio perante aqueles que têm fé. Estes sofrem quando Deus se cala diante de suas súplicas e clamores, porque não se conformam por não obter as respostas que esperam de Deus. Como Deus é arisco, nunca se mostra com a face que projetamos em nossa mente, nem se manifesta conforme a nossa expectativa. Isso nos causa desolação. Ou revolta, como a do rabino e do papa à entrada de Auschwitz. Sempre somos levados a pensar que Deus se furtou às nossas preces. Refugiou-se em sua tenda trinitária, alheio aos nossos rogos. Raramente invertemos o raciocínio para admitir que Ele jamais se cala, e sim responde-nos em uma linguagem que não é a nossa. É a dele. E adota uma lógica inalcançável ao nosso entendimento.

Na aldeia, Deus falava pelo silêncio. A mãe tinha olhos e ouvidos para captar-lhe a palavra. Eu, desconfiado, tentava adivinhar. Já o avô parecia não lhe dar ouvidos, aferrado à sua teima.

Também fora de mim, da mãe e do avô, a natureza, na aldeia, guardava silêncio. Não um silêncio calado, mudo, mas o silêncio da expressão translúcida, da variação de cores no decorrer do dia, dos suaves ruídos de ventos e galhos, das sutis mutações do clima.

A natureza, em seu silêncio, empreendia um jogo. Como em todo jogo, o lance seguinte surpreendia, e o resultado era imprevisível. Isso fazia da natureza uma obra de arte: a incidência do sol, o brilho do alvorecer, o sombrear do crepúsculo, as mechas de nuvens flutuando no azul-celeste, miríades de insetos a trafegar céleres por trilhas irregulares... (Ou seriam as obras de arte um tímido balbucio da natureza?)

O jogo caleidoscópico aquietava-me o espírito e distraía a mente. Entre mim e a natureza não havia ruptura. E ali me aflorava a consciência dessa unidade, o que me permitia harmonizar as peças do jogo, admirar seus encaixes e identificar suas conexões.

Contemplava a natureza e fazia dela meu espelho: por meus olhos, ela mirava a si mesma e se sabia bela. Ganhava harmonia e sentido. Cosmo.

Seria o Universo um infinito silêncio? Sim, já sabiam os antigos gregos, há uma melodia sideral pontuada pelos astros. Porém, a profusão de galáxias não precisa proferir nenhum discurso. Todos os seus saberes e dizeres colapsam nos buracos negros, revertendo e subvertendo todas as lógicas. Talvez seja ali, nos buracos negros, que a natureza faça ecoar, em linguagem quântica, seus versos poéticos.

O que é a música, senão a vibração sonora do ar entre intervalos de silêncio? Ninguém escuta o teclado do piano, as cordas do violino, ou o sopro da flauta. O que se ouve é o efeito harmônico que esses instrumentos produzem ao entremear o silêncio de vibrações sonoras. Certos ritmos se rebelam contra o silêncio e insistem em golpeá-lo com estridência e percussão. A melodia se esvai, como se a voz melódica estivesse trancada na caixa cuja tampa os músicos esmurram com violência.

Resguardado nos meus adentros, sentado despreocupado na pedra, na aldeia eu jogava fora o tempo e recolhia o espaço à diminuta cavidade do meu plexo solar. Às vezes olvidava a minha interioridade e não prestava atenção no lado de fora. Parecia possuir um corpo etéreo, uma mente vazia, uma alma flamejante. Tudo em mim se fazia fluido. Batesse um vento, seria capaz de me fazer voar mais alto que Ubelino. Sem poder me elevar, me enlevava. Nem recordava o passado, nem aspirava ao futuro. Pura fruição do presente.

A aldeia se dissolvia em minha mente. De olhos fechados, as imagens exteriores se diluíam na minha sensibilidade ótica. As interiores se refletiam com intensidade na tela da minha mente. Aos poucos, o caleidoscópio de formas geométricas se embaralhava em desenhos disformes. Em seguida se fragmentavam e perdiam o brilho. Como se a tela se apagasse lentamente, até que não restasse nela nenhum vestígio dos fragmentos. Apenas uma opacidade volátil que tornava a minha mente imponderável. Logo, a própria mente sucumbia. Um vazio indefinível sugava a tela. Então todo o meu ser flutuava no vazio plenificante.

Quando se chega ao âmago do silêncio, escuta-se o silêncio. Não há silêncio absoluto. Quando faço silêncio em mim, calo os meus sentidos e a minha mente, e uma outra voz se manifesta. Não uma voz a quebrar o silêncio, é ele próprio se manifestando. Se fosse uma voz a interferir no silêncio alcançado, seria possível captar com a mente o que ela diz. O seu discurso caberia no meu pensamento. Ora, a voz do silêncio não é pensável, racionalizável, comunicável. É uma voz que se escuta e, por mais que se queira, não há palavras para traduzi-la. Ainda que eu me esforçasse muito, não seria capaz de transmitir o que escuto, porque não cabe em palavras. Posso, sim, utilizar a linguagem analógica, como a poesia. Mas isso é como a distância entre o cardápio e o alimento – só ao saborear a comida experimento a indicação do cardápio. É assim a voz do silêncio: ressoa em mim, mas não me permite fazê-la soar fora de mim. É uma voz que silencia em mim tudo aquilo que poderia impedir o mergulho no silêncio. Ela é o avesso do meu silêncio. Ao silenciar meus ruídos interiores abro espaço para ela se manifestar. Ela é o próprio silêncio interagindo com o meu silêncio.

Talvez o que eu ouça seja a linguagem dos anjos que os poetas tanto anseiam captar. Mas quem o consegue se cala. Não por recato, e sim por insuficiência da linguagem.

Eis o paradoxo: o meu silêncio desperta em mim o silêncio, e me permite escutar o que só posso silenciar.

Sou feito de cáries e carências. Nada há em mim que sinalize horizontes. Rua sem saída, encontro-me estacionado em local proibido. E se acelero, não sei aonde vou, e sei muito bem por onde não devo ir.

Aprendi com o avô a conversar para dentro de mim mesmo. É um falar em que as palavras não têm forma; são feitas de sentimentos e intuições, apenas ressonam imponderáveis. Às vezes brota da lembrança uma emoção. Isso era raro ali na aldeia, quase eu não tinha o que recordar. Não havia em mim reminiscências como no avô e, também, um pouco menos, na mãe. Toda a minha existência conjugava-se no presente. Mesmo porque eu jamais vira uma pessoa nascer ou morrer. E isso, principalmente nas crianças, incute um sentimento de perenidade.

Agora eu tenho um passado: a aldeia.

Emoção é mais que sentimento. Sentimento toca o coração. Emoção dói no espírito, faz tremer o corpo, inunda os olhos, provoca choro e riso. Foi o que senti ao lembrar do dia em que Basilea reapareceu após haver sumido por certo período. Curiosa, acho que decidiu conhecer o mundo. Foi-se e nos deixou ali, órfãos de uma cadela. Só então nos demos conta do quanto era ela importante em nossas vidas. Assim é: quando se perde, conhece-se o valor do que se ganhou. À procura dela, escarafunchei trilha por trilha, tufos de vegetação, desvãos de pedras e barrancos. Talvez tivesse sido picada por uma cobra. Observei os voos de Ubelino para descobrir se demonstravam ânsias de carniça fresca (ainda que eu duvidasse de que ele se fartasse dos restos de Basilea). Até que, certo amanhecer, a encontramos estirada na soleira da porta. Retornara tão misteriosa quanto partira. Tinha os olhos úmidos, os pelos atrás das orelhas eriçados, e o rabo recolhia-se entre as pernas traseiras. Com certeza não lhe agradaram os cheiros alheios.

Sempre fui de entabular conversa com a intuição. A intuição não fala, apenas sugere, capta, insinua, alerta. É o que há de mais sábio nos profundos da gente. A mãe dizia: "É voz de Deus." Então eu conversava com Deus. Conversa direta, porque a capela se dissolvera em cinzas, e o santo, quase todo ele, havia sido incinerado. Nem intermediário eu tinha. Ali de nada servia a devoção. Bastava a adoração. Nem me preocupava em me dirigir a Deus. Deus se adiantava, oferecido que é.

Naquele silêncio de quase todo dia, nenhuma voz ressoava em meu espírito.

Agora que vivo fora da aldeia, sei bem o que mantém as pessoas vivas: a família, a profissão, os projetos e os ideais que abraçam. Na aldeia não havia nada disso, exceto a relação entre três pessoas e dois bichos. O que nos mantinha vivos? Lá, nunca me fiz esta pergunta. Apenas vivia sem pensar ou me preocupar com o futuro, como Basilea e Ubelino.

Só agora, aqui no hospital, tomo consciência de que vivíamos do silêncio. Ele provocava uma alteração no nosso estado de espírito, como se vivêssemos para dentro de nós mesmos e não para fora. Isso nos abastecia interiormente, como se fôssemos esponjas capazes de sugar todas as boas energias que transitavam fora de nós.

Quando se vive centrado no âmago de si mesmo, e descentrado do que se encontra em volta – as pessoas, a natureza, o mistério –, experimenta-se uma indescritível fruição. E isso é motivo suficiente para gostar de estar vivo.

Na noite passada sonhei que eu trabalhava na oficina da palavra. Apareceu um velho sem muitos cabelos na cabeça, exceto os tufos que lhe caíam pelas orelhas e pela nuca. Seu rosto estampava rugas acentuadas e seus olhos luzidios pareciam duas grandes gotas de azeite. Vestia um moletom. Tinha os pés encobertos por um imaculado tênis branco.

Indaguei em que poderia lhe ser útil. Tirou do bolso a palavra *idoso* e perguntou se eu poderia transformá-la em *jovem*. "Não gosto do adjetivo *idoso*", disse. "Sinto-me incomodado. É demasiado provecto para a agilidade que ainda meu corpo demonstra."

Trepou no tamborete junto ao balcão. Pensei que me fosse proferir um comício sobre a inconveniência da palavra *idoso* e de todos os seus sinônimos. Equivoquei-me. Quis apenas convencer-me de que o adjetivo não lhe convinha. Malgrado o acúmulo de anos, seus membros e sua vitalidade ainda guardavam o frescor da juventude.

Indaguei-lhe a idade. Aos homens se pode fazer essa pergunta, embora mintam tanto quanto as mulheres. Retrucou trazer nas costas setenta e três anos bem vividos. A aparência, devo admitir, não o desmentia. O que disse, contudo, tropeçou em minha memória. Lembrei que seu filho mais novo, há três dias, viera buscar uma palavra que eu fundira com o que restara do verbo *denegrir*. O rapaz, atento a significados, descobrira que *denegrir* embute preconceitos, pois significa enegrecer, tornar negro. Levei o verbo ao forno aquecido e esperei que derretesse. Quando atingiu a cor rubra, moldei-o em *depreciar*. Foi nessa espera que o cliente contou que, naquela noite, haveria uma festa de família para comemorar os oitenta anos de seu pai.

Ofereci-lhe a palavra *otimismo* para presentear o pai. Os velhos ficam deprimidos quando perdem o otimismo. Tudo se transforma em motivo de queixas – o ponto da carne, a poeira no criado-mudo, um fio de cabelo no boxe do banheiro, o tom de voz do vizinho, o calor da noite de verão.

O rapaz recusou. Disse que otimismo o pai tinha de sobra. Faltava-lhe, sim, juízo. Desde que enviuvara, ia às putas, entretinha-se com filmes pornográficos, e atirava gracejos indecorosos às moças na esquina.

Sugeri então presenteá-lo com a palavra *sobriedade*. Expliquei que o termo tem vasto alcance, significa lhaneza, singeleza, comedimento, moderação, recato, circunspecção, frugalidade etc.

Pela reação do rapaz, não me fiei muito. Logo me dei conta de que o presente não provocaria o efeito desejado. Como é difícil dar presentes! Os gostos são múltiplos, surpreendentes, inusitados. O rapaz preferiu levar a palavra *idoso*, para que o pai tivesse consciência da idade.

Agora ali estava o pai com o presente de volta. Estendeu-o sobre o balcão. Fiquei em apuros. Como denunciar-lhe o preconceito? Como dizer que buscava ser o que já não era? Tentei argumentar, mas ele reagiu insolente. "Então adote o termo terceira idade", sugeri. Bradou que nenhum eufemismo lhe agradava. "São expressões que evitam falar de velhice, mas não logram encobri-la", enfatizou. "Sou jovem, jovem bem vivido, mas jovem. Por isso peço que transforme esta palavra *idoso* em *jovem*."

Prometi que o faria, embora contrariado. No dia seguinte, a nova palavra ficou pronta. Porém, ninguém apareceu para apanhá-la. No balcão de entregas, a palavra, esquecida, acabou envelhecendo...

V
CIDADE

Um dia o avô quedou prostrado no catre. O rosto empalideceu, os olhos afrouxaram entupidos de vermelhidão e ele esqueceu os sons das palavras. A mãe colocou próximo a ele o santo sem rosto e sem nome, e intentou fazê-lo comer. Nada. Permaneceu indiferente a qualquer gesto ou alimento. Apenas, vez ou outra, bebia um gole d'água. E deixava que mãe e eu lhe segurássemos as mãos.

Foi em um fim de tarde que o avô transvivenciou. Vi a mãe, pela primeira e única vez, derramar uma lágrima. Meu coração ensombreceu-se de aridez, repleto de imensa falta. Basilea e Ubelino ensimesmaram-se. Cuidamos de enterrar o avô ao pé da mangueira. Sobre a cova, os cachimbos, as sandálias e a bengala.

Trago ainda dele, no âmago do peito, imensa saudade – essa visceral presença de quem se encontra ausente.

Um dia o pai retornou na moto do irmão. Foi então que vimos, pela primeira e única vez, um ao outro. Era muito diferente do retrato que eu trazia na imaginação. Pregou os olhos severos em mim e na mãe, e proferiu a nossa sentença de morte: "Vim avisar, vendi a aldeia. Vão construir um clube aqui. Ali naquela área" – e apontou para os fundos de nosso casebre – "farão um campo de golfe. Se quiserem vir pra cidade, tenho onde alojá-los. Se não aceitarem meu convite, serão enxotados daqui." E acrescentou: "Já que não querem ir ao progresso", ironizou, "o progresso virá a vocês."

A mãe manteve a cabeça de olhos no chão. Preferiu não encará-lo. Toda ela era tristeza. "Não saio, não", murmurou. "Só morta." Apertei a mão da mãe e olhei bem fundo nos olhos do pai: "Também fico."

"Cadê o avô?", indagou. "Partiu", eu disse. "Se foi daqui?", redarguiu o pai como se tivesse escutado uma boa notícia. "Morreu", falei.

"E cadê o outro?", falou a mãe. Foi a vez de o pai abaixar a cabeça: "Também morreu." A mãe apertou as mãos no avental, como se precisasse segurar em alguma coisa, e em seguida me abraçou, afundando a cabeça no meu ombro. Não chorou, apenas deixou o corpo tremer de tristeza, como se tomada por febre malsã. "Morreu de quê?", indaguei. "Ficou doente?" O pai disse: "Ele se deixou levar pelas drogas. O covarde perdeu a cabeça e se matou." Fez-se uma pausa de silêncio até eu me manifestar: "Covarde nada! É preciso ter muita coragem para tirar a própria vida!" Eu mesmo estranhei essa defesa do irmão. A mãe me olhou nos olhos. Parecia consolada pelo que eu disse. O pai retornou à moto e, depois de montar, se despediu: "Vocês estão avisados. Isso aqui acabou. Se não querem vir comigo, tratem de caçar outro rumo."

Foi então que teve início a nossa infelicidade.

Passado um tempo, a aldeia foi invadida por máquinas possantes. Elas irromperam no rumo da trilha, derrubaram o mato, abriram caminhos. A motosserra pôs abaixo a mangueira, e a boca dentada de um trator profanou a cova do avô.

Basilea latia nervosa e arreganhava os dentes para os invasores. Um deles tentou agarrá-la, mas a cadela mordeu-lhe a mão e se esquivou. O homem arrancou a arma da cintura e, com um disparo, obrigou-a a silenciar-se para sempre.

Virei o rosto para o céu a tempo de ver Ubelino se escafedendo na direção do infinito. Pelo menos a nossa ave logrou escapar daquela sanha assassina. Senti enorme alívio.

A mãe se agarrou ao casebre. Homens armados atiçaram fogo na palha que o recobria e nos acusaram de invasores de propriedade. Nosso lar ardeu em chamas. Arrastaram-nos para dois furgões. A mãe foi jogada em um, eu em outro.

Nunca mais soube da mãe. Nem para onde a levaram. Prefiro acreditar que sucumbiu ao desterro e, como lagarta, saiu do casulo e virou borboleta. A morte é preferível a uma vida indigna.

Recolhi na memória as lágrimas que eu deveria derramar pelo desaparecimento da mãe.

Antes de ser retirado dali, ainda vi uma retroescavadeira demolir o que restou do casebre. Nele morei muito tempo; hoje, ele mora em mim.

Só então entendi que cada um de nós é mais que o próprio corpo e sua substância. É também um lugar. Abandonar o lugar no qual se deita raízes é como amputar um membro. O lugar perdura na memória, assim como uma pessoa sente cócegas na perna que lhe falta. Ainda hoje todas as minhas evocações são para a aldeia. Lá residia minha inteireza.

Aqui, sim, sou exilado. Por isso me recuso a falar. Podem entender meus gestos, como entendo os deles, mas não minha linguagem, feita do dizível e do indizível. O silêncio não é o limite da linguagem, é a sua matéria-prima, como o barro é do tijolo. A linguagem atinge a perfeição quando culmina na realidade intraduzível.

Ao chegar na cidade me senti como quem desembarca um um país e nada conhece do idioma local. Eu pensava, mas não me expressava. Guardei-me no silêncio.

Após me expulsarem da aldeia, conduziram-me a uma delegacia. Fui recebido aos gritos por policiais enfurecidos. Não proferiam palavras, e sim urravam, grunhiam, uivavam. Tranquei-me em mutismo. Pediram-me documentos. Nunca os tive. Perguntaram o meu nome. Não tenho. Indagaram se eu tinha dinheiro. Eu não sabia o que é.

Eu era, então, um homem desmemoriado. E quando a memória se apaga, a identidade se esvai. Então me golpearam para me obrigar a falar. Quebraram-me os dentes, perfuraram-me o pulmão, atingiram meu rim. Dizer o quê? Queriam que eu falasse o que esperavam escutar. Além de não ter respostas para as perguntas que me faziam, recusei-me a transformar minhas palavras em eco da antilinguagem da barbárie. A tortura elimina toda a possibilidade de linguagem, de comunicação entre humanos. Uma vez que o torturador não escuta sua vítima, ele a condena sem julgar. Não pergunta, obriga-a a confessar. Vira a linguagem ao avesso como instrumento de segregação, exclusão, desumanização. Destitui a palavra de sua função simbólica, de ferramenta cultural, e desertifica o espírito.

A linguagem é uma armadilha: as mesmas palavras não têm o mesmo significado, principalmente quando proferidas entre algozes e vítimas.

O avô me havia ensinado esta rara virtude: a fidelidade ao silêncio. Ele me adensa por dentro. Aos olhos dos meus torturadores, entretanto, eu era apenas um corpo. E quando o olhar reduz uma pessoa a seu corpo, indiferente à sua memória, à sua identidade e à sua história, então o assassinato parece menos cruel ao assassino. É como fazer tombar um fantoche. No entanto, não sou apenas um corpo. Sou pessoa, deito raízes profundas no passado que me antecede, sou um ser que traz a natureza na alma e um nó de relações de parentesco e afeto. Contudo, não dei a eles o direito de me conhecerem. Não mereciam.

Na delegacia sobreveio-me ainda o silêncio da voz inaudível que o coração pressente. Calou-se em mim o outro, o subjacente, o inefável. Fecharam-se em meu ser todas as portas e janelas. Senti-me irremediavelmente emparedado. Tudo isso que nos modela – pensamentos, fé, convicções, propósitos, sonhos –, tudo se havia apagado.

A tortura me reduzira à própria dor. A dor não era apenas um sofrimento a me dilacerar. A dor era todo eu. E dentro dela vislumbrei uma única claraboia: a morte.

Se Deus se calou enquanto eu me afogava na poça do meu próprio sangue, então só me restou abraçar o silêncio total, a anulação completa de tudo que em mim é vida e signo de vida. Recolhido às minhas dores, deixei-me levar pela superação da linguagem: a oração difusa, desnudada de petições e alegorias, e na qual sujeito e predicado se unem no verbo conjugável apenas na primeira pessoa do presente do indicativo.

Ali a palavra desgramatizou-se na brutalidade insana. Todo o discurso desabou implodido por sua intrínseca antinomia. Reduzido a saco de pancadas, fui banido de toda humanidade. Tornei-me eu próprio uma aldeia. Ainda que gritasse de dor, nenhum socorro viria a meu favor. Tudo à minha volta ensurdecera. Como poderia eu proferir qualquer palavra se a fonte de toda palavra perdera a voz? Como haveria eu de dizer o que meus torturadores queriam ouvir se meu único desejo era ser tragado pela morte, pelo silêncio inelutável?

Dois meses depois, me jogaram na rua. Não conhecia a cidade nem tinha rumo a seguir. Sentia-me fragilizado, tomado por tonteiras. Queria retornar ao lugar onde ficava a aldeia e morrer lá no que foi nosso pedaço de chão.

Ainda que reeditassem em mim o modo como se livraram de Basileia.

Fiquei entregue ao desvario urbano. Tudo me sugava a essência. Sem nada a fazer, suportava as dores e deambulava por ruas e avenidas sem ter aonde ir ou vir. Como não sabia ler, o emaranhado de letras – em anúncios, lojas, bancas de revistas, ônibus – me sufocava como um amontoado de signos dessignificados. Embora enxergasse letras por todos os lados, eu caminhava às cegas.

As imagens, sim, se destacavam agressivas à minha penúria. Cartazes imensos estampavam robustos sanduíches e múltiplas pizzas que em nada minoravam a minha fome.

Recostado a um muro, estendi a mão súplice. Sob olhares de repulsa ou indiferença, rarearam-me moedas mínimas. Revirei latões e lixeiras em busca de resposta ao vazio do meu estômago. Restos alheios aplacavam a escassez do que restava de mim.

As dores se multiplicavam por todo o meu corpo, a tontura fazia rodopiar a minha cabeça, e o sono, no jardim da praça, sobre papelão de caixas decompostas, não me trazia a morte tão almejada. Despertava condenado à vida, muitas vezes sob chutes de outros mendigos que me arrancavam os trapos usados como cobertor.

A cidade trafegava célere à minha volta. Tudo se movimentava em torno de minha insignificância, do meu corpo maltrapilho, sujo, anônimo, que insistia em adiar o momento de se entregar à imobilidade da morte para ser recolhido pelo rabecão como dejeto dessa escória que fere a estética da paisagem urbana.

Aos olhares dos transeuntes, repelido pelo asco que expressavam, eu era apenas um lixo ambulante travestido do que outrora fora um ser humano.

Recolhido desacordado da sarjeta, fui levado a um abrigo de mendigos. De lá, ao constatarem meu precário estado de saúde, trouxeram-me a este hospital. Aqui dizem não poder me mandar embora, pois o rim exige cuidados constantes. E também porque ninguém sabe quem sou, não tenho papéis. Nemo é como me tratam.

Há uma experiência humana quase inexprimível em palavras: a dor. A do corpo, quando atenuada, suporta se manifestar por sussurros onomatopaicos. Quando lancinante, requer o grito, o clamor, o berro de quem sente e sofre o corpo macerado por algo que parece reduzir todo o nosso ser, toda a nossa memória e toda a nossa inteligência a um ponto do corpo no qual a dor se manifesta e impera.

A dor da alma, esta sim, é inexprimível. Não há como gritar, porque ela sufoca. Não há como expressá-la em palavras, porque ela implode todo o vocabulário. É uma dor que brota do âmago do coração e se dissemina por cada veia, cada músculo, cada artéria, e é sentida subjetivamente como um peso insuportável. Esta dor provoca a saudade da morte. É preciso garimpar o léxico mais primevo para que, a conta-gotas, se possa destilá-la em vocábulos arcaicos, na linguagem destituída de lógica e até mesmo de sintaxe. Esta dor só o tempo aplaca, desde que não esteja impregnada de culpa. Na vida, não se guarda culpa em decorrência da transgressão, e sim da omissão.

Depois que madame A. me ensinou a ler e a escrever, jamais me separei dos livros nem deste caderno que trago em mãos. Eles desfronteirizam-me a visão. Incentivam-me a escrever este relato, espelho no qual identifico minha verdadeira face.

Minha alfabetizadora indagou se eu não me sentia infeliz na aldeia, retido naquele espaço inócuo, sem ter trabalho ou um projeto de vida. Fiquei a fitá-la, guardado em mim. Se fosse responder, diria que lá eu me sentia feliz, vivia na posse de mim mesmo, era dono do tempo. Aqui na cidade todos são escravos dele, trazem nos pulsos as algemas que o retalha em horas, minutos e segundos, submetem-se abnegadamente ao tempo sem tempo, à pressão das urgências sem importância.

Há demasiadas palavras na cidade. Muitas se expressam por outros dizeres: ruídos, agitação, poluição... A cidade é tagarela e, nessa verborragia, se perde como lugar acolhedor. Por isso nostalgio-me na lembrança da aldeia. Tanta gente que habita a cidade sonha em mudar-se para o interior, morar em algum lugar distante no qual haja mais moderação que agitação...

Ontem sonhei com a cidade do silêncio. Ali ninguém sentia necessidade de falar. Todos se entendiam por gestos e olhar. Viviam em silêncio, e não mudos. Silêncio de uma leveza extasiante. Como assistir a um balé sem escutar a música: bastam os movimentos sincronizados. Tudo suavemente leve como um voo de cisnes.

Foi aqui na cidade que vi, pela primeira vez, um relógio. Aliás, vários, de todos os formatos e tamanhos. No essencial são como nós humanos: todos se parecem. Uns feitos de aço, outros de plástico, e há inclusive os luxuosos, feitos de ouro. O que importa são os dois ponteiros: o das horas e o maior, dos minutos. Há um terceiro, acelerado, que marca os segundos. Sem eles o relógio não passa de um objeto inútil, como tudo que não cumpre sua função específica. Para que serve uma caneta que não escreve ou uma torneira que não verte água?

No início, não entendi bem a utilidade do relógio. Disseram que serve para marcar o tempo. "O que é tempo?", perguntei. Não souberam me explicar ou – o que é mais provável – não entendi bem a lição. Concluí que o tempo é um imenso e perene relógio. É feito da sequência dos dias. Os dias avançam como se presos a uma roda invisível cuja parte mais alta, próxima do Sol, seria o verão; a inferior, o inverno; a da direita, o outono; a da esquerda, a primavera. E o giro se repete sucessivamente.

Penso que o tempo é a extensão do espaço que ocupo ao longo da vida. Já venci o espaço do meu tempo de infância, cessou também meu espaço de juventude e, agora, adulto, inicio a lenta passagem para o espaço terminal da velhice.

As pessoas da cidade geometrizam o tempo, repartem-no em séculos, décadas, anos, meses, semanas e dias; e cada dia, em vinte e quatro horas; cada hora, em sessenta minutos; cada minuto, em sessenta segundos. Para acompanhar a segmentação do tempo que cabe no espaço de um dia – vinte e quatro horas – é que serve o relógio.

Vivi sem ele muitos e muitos dias na aldeia. Houvesse ali um relógio, não teria a menor utilidade. Os ponteiros girariam em vão, pois avô, mãe e eu, Basilea e Ubelino éramos donos do tempo. Obediente ao nosso ritmo, ele jamais nos apressava.

Na cidade, as pessoas são escravas do tempo. A ele se submetem rigorosamente. Vivem acorrentadas à precisão do relógio: hora para acordar, tomar café, chegar à escola ou ao trabalho, iniciar o turno aqui no hospital, dar remédio ao enfermo, assistir a tal programa de TV... Todos os atos, todos os movimentos, todas as iniciativas estão demarcadas pelas horas. Assim como os casais selam sua relação ao enfiar no dedo anular uma aliança, o pacto com o tempo tem no relógio a sua aliança. No entanto, essas pessoas se julgam livres. Porque jamais conheceram a liberdade que desfrutávamos na aldeia.

O tempo tem muitas faces. A mais óbvia é a que o relógio demarca e pela qual as pessoas pautam suas atividades. Há uma outra face, a do tempo interior. Nenhum relógio pode medi-la, segmentá-la, e ela extrapola todos os espaços. O tempo interior suporta uma infinidade de eventos simultâneos, e guarda sabor de perenidade. É o tempo infindo, no qual flutuam nossas emoções e sentimentos tocados pelos ventos de nossas recordações e intuições, e no qual apreendemos o indizível. Ninguém é capaz de abrir a porta do tempo interior de outra pessoa, ainda que viva junto a ela cem anos. Só mesmo quem traz em mãos a chave. E ainda que haja esforço para confidenciar o conteúdo de nosso tempo interior, as palavras não o comportam. Ninguém jamais saberá ou conhecerá todo o universo que se abriga em meu tempo interior ou no de qualquer outra pessoa. Impossível secar a lagoa ao retirar a água com uma simples seringa. Escavar a própria vida interior é um delicado e árduo trabalho. A arqueologia de nossas camadas mais profundas exige coragem e lucidez. Quanto mais se avança na direção do âmago de si mesmo, mais se perde o contato com o fio de Ariadne que se estende até o lado de fora. E ali nos defrontamos com novos horizontes que nos desafiam a renascer sem ser preciso retornar ao ventre materno.

A terceira dimensão do tempo é a do tempo sem tempo, encerrado o ciclo da vida. Ali o tempo se encolhe, o giro da roda cessa, a linha se faz ponto – presente absoluto. Já não há passado nem futuro. É. Se houvesse ali um relógio, ele cessaria os ponteiros no infinito.

Tenho medo da cidade. Voraz, ela nada tem de veraz. Não resulta da razão, é fruto da emoção. Aquela rua, aquela casa, aquele prédio, cada detalhe concebido sem que o entorno fosse considerado. Texto fora de contexto. Daí porque muito me assustei ao ser trazido à cidade. Nem cheguei a me sentir como Jonas no ventre do peixe. Jonas sobreviveu, não foi deglutido pelo animal que o devorou. Não tive a mesma sorte. A cidade, com sua voracidade consumista, triturou-me. Tudo nela conspira contra mim – a incessante procissão de carros, a fuligem exalada pelas chaminés, os ruídos das construções, a paisagem violada por imensos viadutos... Tudo tem importância, menos eu. Vejo-me reduzido a um simples número na multidão. Fagulha cuspida pelo incêndio.

Quantos rostos estranhos! Quantas biografias silenciadas! Quantos medos contidos no ritmo alucinado da busca laboral de um pouco mais de qualidade de vida!

Cidades são túmulos. Neles permanece viva nossa insensatez bovina. Observa-se o punhado de gente na esquina à espera de o semáforo sinalizar, com seu olho vermelho, a ordem para cessar o fluxo de veículos. Move-se de um lado ao outro da rua a manada, gente incapaz de sorrir, cujas faces contraídas expressam solidão e horror. Gente condenada a ruminar suas pequenas inquietações, como se todos sofressem dessa aguda consciência de que nasceram para ser deuses e, no entanto, a cidade, com suas injustas assimetrias, confinou-os no curral aparelhado de sofisticada tecnologia, sugando-lhes o leite que não têm. O que me salva é a nostalgia da aldeia. Ali a gente era singular e não coletivo. A vida não fluía movida por ansiedade, nem vivíamos asfixiados pelos imensos túmulos que se erguem do chão e obscurecem a luz do sol, o voo dos pássaros e o brilho da lua. Ali havia silêncio. A vida da nossa diminuta família emergia com a mesma discrição e delicadeza que a flor desponta na extremidade de um caule. Sentado na pedra, eu escutava o avô sussurrar: "Aqui a vida é terna."

Mas aqui nesse pedaço de cidade onde me encontro internado há demasiados ruídos à volta. O coração sobressalta, os nervos afloram, a mente atordoa-se. É o televisor ligado quase o tempo todo, o fluxo incessante de imagens sugando-me no carrossel de flashes. O rádio da enfermeira em monólogo inclemente, a música rítmica desprovida de melodia, o som ácido entupindo meus orifícios auditivos.

De todos os lados sobem ruídos: da construção do prédio vizinho, dos veículos na rua, das aeronaves que cortam o espaço, das motos estridentes, do anunciante desaforado com seu som ambulante, do apito fabril disciplinando horários, das sirenes dos carros de polícia e das ambulâncias.

Sem o silêncio da aldeia, sinto-me vulnerável, exposto à voracidade, à subjetividade esgarçada. A epiderme eriça, em potencial, a violência. Aturde-me a comichão de palavras. A cacofonia de ruídos agrava-me o estado de saúde.

Meu consolo é, na falta do silêncio da aldeia, ouvir vozes interiores. Vozes que se apossam de mim. Soletram cada sílaba como um cantochão recorrente. São vozes do silêncio. Desdobram-se no mais íntimo de mim, sinalizam uma gramática indecifrável, tecem uma escrita que desvocabuliza todos os alfabetos. As vozes interiores são como ecos musicados de odes desérticas, amenas cantigas de ninar corações, nas quais embalo todas as nostalgias de uma era indefinida que esculpe meu ser mais verdadeiro. Essas vozes me guiam por galerias subterrâneas que minha própria consciência não logra apreender; apenas a intuição capta o que é indefinido e indefinível, como um velejador que, na noite dos mares, escuta o canto cativo das sereias sem jamais avistá-las ou localizá-las entre as vagas dançantes do oceano. Vozes que incendeiam o reverso de todos os versos que se calam em mim. Sei apenas que recitam a mais doce poesia toda feita de versos sem palavras, poesia numinosa, fúlgida, irradiante, brotada do silêncio que essas vozes expressam. As vozes se intercalam e se somam como no coro, alternam-se e oscilam entre graves e agudos, ressoam em mistéricas operetas nas quais se espelham minhas inquietudes interiores.

Essas vozes do silêncio jamais serão conhecidas por ouvidos humanos, são inaudíveis à razão, ultrapassam toda ciência e, no entanto, orientam meus passos e me impedem de naufragar no vácuo de uma desfigurada impessoalidade. Inútil tapar os ouvidos ou deixar me absorver pelo sono. As vozes interiores nunca se calam. São perenes. Convocam-me ao que sou e não tenho sido, gritam silenciosamente que eu retorne à minha singularidade, tentam me salvar do exílio a que a vida me conduz, clamam continuamente que eu corrija meus passos e caminhe na direção daquele ser que é meu duplo e me é tão diferente, pois nele reside a minha verdade como pessoa.

Hoje, sou um homem casado. As palavras são a presença feminina em minha vida. Seduziram-me e trago-as nas entranhas e no coração. Encantam-me e alegram. Nos momentos difíceis, nelas me refugio e busco consolo. São a minha paixão e o meu mistério, a minha sina e o meu destino. Cometo com elas uma profusão de pecados e, assim, fico em estado de graça. Entrego-me inescrupulosamente à luxúria que encerram, à esbórnia dos verbos pecaminosos, aos adjetivos inqualificáveis, e arranco a máscara de todos os substantivos. Desato a gula no pasto dos significados, corroído de inveja de todos os autores que dotam as palavras de irresistível magnetismo. Fico irado quando elas não traduzem o que a memória sugere, a imaginação projeta, a intuição sinaliza. E há palavras tão sublimes que jamais as pronuncio ou escrevo. Guardo-as ciosamente. Será isso soberba literária?

Seduzido pelas palavras, enamorado por elas, entrego-me de corpo e alma à volúpia semântica. Contraio núpcias e conduzo-as ao leito gramatical. Deixo-as etimologicamente nuas, expostas em todo o seu esplendor. Então possuo-as enquanto elas me possuem. Nessa voracidade substantivamente orgiástica, engravido-as. E gero filhos: estes textos.

Uma imagem me volta à mente quando me preparo para pôr um ponto final neste caderno: a da escada que, na aldeia, se erguia altiva perdida no meio do mato. Tenho agora a sensação de tê-la subido. E ao chegar ao último degrau, dei mais um passo e, antes de precipitar-me nos braços invisíveis do espaço, com um pontapé fiz com que ela tombasse, engolida pela vegetação.

Logo haverei de transvivenciar, bem sei. Então, livre de todos os véus que cobrem os mistérios, mergulharei para sempre na fonte da palavra.

Da vida, guardo uma única certeza: meu universo se limita à minha linguagem.

FIM

Este livro foi composto em tipologia Dutch 11/18
utilizando papel pólen soft 70g/m² e impresso
na Gráfica Stamppa para a Editora Rocco, em 2013.